Cardinale Richelieu

Milady

Aramis

Geronimo Stilton

I TRE MOSCHETTIERI

Cari amici roditori,

dovete sapere che la mia passione per la lettura è
cominciata tanto tempo fa, quando ero ancora piccolo. Trascorrevo ore e ore a leggere romanzi bellissimi,
che mi hanno fatto vivere fantastiche avventure e
conoscere luoghi lontani e misteriosi.

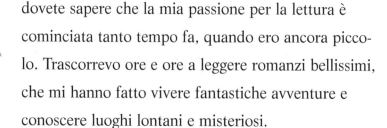

È proprio vero che leggere mette le ali alla fantasia!
Così ho pensato di regalare anche a voi le stesse emo-
zioni che ho provato io anni fa, raccontandovi i capo-
lavori della letteratura per ragazzi.

Nella scintillante Parigi del XVII secolo, tre valorosi
moschettieri incontrano D'Artagnan, un giovane
coraggioso appena giunto in città. Tra duelli, intrighi
di palazzo e mille avventure, D'Artagnan saprà conquistare la fiducia di Athos, Porthos e Aramis.
E presto diventeranno inseparabili. Uno per tutti,
tutti per uno!

Geronimo Stilton

Testo originale di Alexandre Dumas, *liberamente adattato da* Geronimo Stilton.
Collaborazione editoriale di Annalisa Strada.
Coordinamento di Lorenza Bernardi *e* Patrizia Puricelli.
Con l'aiuto di Maria Ballarotti *e* Antonella Lavorato.

Editing di Red Whale *di* Katja Centomo *e* Francesco Artibani.
Direzione editing di Flavia Barelli *e* Mariantonia Cambareri.
Coordinamento editing e supervisione disegni di Giulia Di Pietro.
Cover di Flavio Ferron.
Disegni di riferimento di Roberta Tedeschi *e* Nicola Pasquetto.
Illustratori: Giovanni Basile, Francesco Colombo, Elisabetta Giulivi,
Roberta Tedeschi, Luca Usai *e* Concetta Valentino. *Inchiostratori:* Alessandro
Battan, Jacopo Brandi, Michela Frare, Daniela Geremia, Roberta Pierpaoli *e*
Luca Usai. *Coloristi:* Cinzia Antonielli, Alessandra Bracaglia, Ketty Formaggio,
Donatella Melchionno, Edwyn Nori *e* Nicola Pasquetto.
Grafica di Paola Cantoni. *Con la collaborazione di* Marta Lorini.

www.geronimostilton.com

Da un'idea di Elisabetta Dami.

I Edizione 2008
© 2008 - EDIZIONI PIEMME S.p.A.
    20145 Milano (MI) - Via Tiziano, 32
    info@edizpiemme.it
International rights © ATLANTYCA S.p.A.
    Via Leopardi, 8 - 20123 Milan - Italy
    www.atlantyca.com - contact: foreignrights@atlantyca.it

Stilton è il nome di un famoso formaggio prodotto in Inghilterra dalla fine del 17° secolo. Il nome Stilton è un marchio registrato. Stilton è il formaggio preferito da Geronimo Stilton. Per maggiori informazioni sul formaggio Stilton visitate il sito www.stiltoncheese.com

Stampa: Mondadori Printing S.p.A. - Stabilimento di Verona

Geronimo Stilton

I TRE MOSCHETTIERI

PIEMME

D'Artagnan
va a Parigi

D'Artagnan avanzava cavalcando il suo improbabile cavallo, un ronzino sfiancato e dallo sguardo triste. Anche se il suo cavallo era davvero strano e gli abiti che indossava stinti, nessuno avrebbe osato prendere in giro quel bizzarro cavaliere: aveva uno SGUARDO talmente orgoglioso e un atteggiamento così deciso, che davvero c'era poco da scherzare.

D'Artagnan era da poco partito dalla sua casa di Tarbes, nel Béarn, ed era diretto a Parigi, alla ricerca di ONORE e avventure.

Tutto ciò che portava con sé erano il cavallo, la sua **bellissima** spada, una manciata di monete d'oro e una preziosissima lettera di raccomandazione per il capitano delle guardie del re, il signor Tréville. Il padre di D'Artagnan, infatti, aveva combattuto anni prima insieme a lui, per difendere il re e il paese. Quindi erano diventati molto amici.

A D'Artagnan sarebbe piaciuto tantissimo essere ammesso tra le guardie del re e in particolare partecipare alle **GRANDIOSE** imprese del gruppo speciale di valorosi combattenti comandati da Tréville: i moschettieri!

Stavamo dicendo, il viaggio era lungo e pure faticoso, quindi il nostro eroe decise di fare una sosta a una locanda nel centro della città di Meung.

Dopo essere sceso da cavallo, diede un'occhiata intorno e, guardando nella locanda attraverso una finestra, vide un viaggiatore dall'aspetto nobile, che chiacchierava con altri due.

Il *gentiluomo* aveva occhi e capelli scuri, baffi perfetti e una CICATRICE sulla fronte, sopra l'occhio sinistro. Era molto elegante, anche se i suoi abiti erano un po' sgualciti, come se avesse affrontato un **lungo** viaggio.

D'Artagnan tese l'orecchio e... sentì che lo sconosciuto stava parlando del suo cavallo! Siccome era davvero un ragazzo permaloso, sbottò: – Ditemi di che cosa RIDETE, e rideremo insieme!

Nemmeno lo sconosciuto, però, era uno che si tirava indietro davanti a una sfida! Così uscì all'aperto e si mise di fronte a D'Artagnan:

– Il vostro cavallo è giallo come un girasole!

– Se ridete del mio cavallo, ridete anche di
me! E non ve lo permetto… non lo permetto
a nessuno!

Tutt'e due sfoderarono le SPADE ed erano
sul punto di incrociarle quando, a sostenere
lo sconosciuto, INTERVENNERO i suoi due
compagni e con loro l'oste della
locanda.

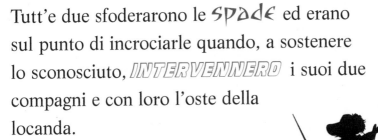

D'Artagnan si mise a combattere
contro quei quattro. Era coraggioso e determinato, ma ben presto si
trovò svenuto a terra con la spada
SPEZZATA.

I suoi rivali lo portarono all'interno della
locanda e lo perquisirono da cima a fondo.
Il fatto che più li INCURIOSÌ fu trovare la

lettera per il capitano Tréville: conoscevano bene quel nome e lo **TEMEVANO!** Riferirono quella strana scoperta al misterioso gentiluomo, che prese la busta e se la intascò.

Che *FURFANTE!*

Quando D'Artagnan si rianimò e si accorse del furto, non si perse d'animo e uscì barcollando dalla locanda per cercare lo sconosciuto e finire la discussione a quattr'occhi. Arrivò sulla soglia appena in tempo per vederlo chiacchierare con una dama bionda, pallida e **bellissima**, che si affacciava da una carrozza. E lo sentì che le diceva: – Parti subito per l'Inghilterra! Non c'è tempo da perdere!

Appena finita la frase, lo sconosciuto salutò la dama, balzò in sella e scappò al gran *GALOPPO!*

A casa
del capitano Tréville

D'Artagnan era molto ARRABBIATO e anche molto dolorante. Per fortuna aveva con sé un unguento *speciale*, che gli aveva affidato sua madre prima di partire e che era capace di guarire ogni tipo di ferita. Avrebbe dato qualsiasi cosa per incontrare di nuovo quello sconosciuto e regolare i conti. Ancora di più dopo che si era accorto del FURTO della lettera!

Determinato più che mai a cavarsela, anche senza la lettera di presentazione, montò sul suo RONZINO e arrivò alle porte della città.

Parigi gli sembrò **IMMENSA** e incredibilmente bella.

Affittò una stanza, lucidò gli stivali, spazzolò e indossò l'abito che aveva e uscì a cercare il palazzo del capitano Tréville, sede delle GUARDIE del re.

Il quartier generale dei moschettieri era maestoso e a D'Artagnan sembrò anche più bello di come se lo era immaginato. Ovunque, nei corridoi, sulle scalinate e nei saloni, chiacchieravano, RIDEVANO☺ e scherzavano spadaccini con la divisa e il cappello piumato, fieri e **FORTI**. Così fieri e così forti che, per la prima volta, D'Artagnan iniziò a sentirsi un po' meno sicuro del solito: quelli erano davvero i suoi eroi e non gli sembrava vero di essere lì! Tutti i discorsi che riusciva a sentire

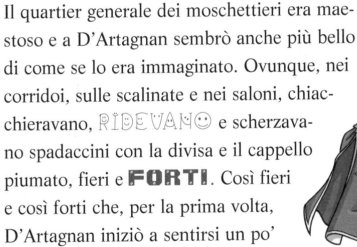

riguardavano la **rivalità** tra i moschettieri e le guardie del cardinale Richelieu. Una rivalità che, a quanto pareva, esisteva da tanto tempo. D'Artagnan ne aveva sentito parlare: sapeva che il cardinale era un fidatissimo consigliere del re e che era un uomo molto

potente, quasi quanto re Luigi XIII in persona! Ma sapeva anche che al cardinale piacevano i **sotterfugi** e gli intrighi di corte e che, soprattutto, non sopportava la regina, la cui unica colpa era di avere sangue spagnolo nelle vene.

Insomma, il cardinale era un soggetto **pericoloso!**

Ma era anche talmente furbo da riuscire sempre a tramare nell'**OMBRA** e rimanere sempre nascosto, senza mai comparire negli *intrecci* torbidi che tramava. Per questo motivo lo avevano soprannominato l'**EMINENZA GRIGIA**.

Ma stavamo parlando del palazzo del capitano Tréville, popolato dai moschettieri.

Tra questi, due **SPICCAVANO** in maniera particolare. Uno era molto **alto** e indossava uno **strano** mantello rosso. L'altro era giovane e di corporatura SMILZA, con il viso, i capelli e le mani incredibilmente curati.

D'Artagnan non staccò gli **OCCHI** da quei due, nemmeno mentre si avvicinava a un segretario per dire il suo nome e mettersi in lista per un colloquio col capitano.

Ascoltando la conversazione di quei due moschettieri, venne a sapere che quello **grande** e **grosso** si chiamava Porthos, mentre l'altro Aramis.

19

L'incontro
con i moschettieri

La voce di un valletto fece
D'Artagnan: – Il signore è invitato a
entrare dal capitano Tréville.
Che **emozione!**
D'Artagnan entrò nello studio di Tréville con
un gran **BATTICUORE**.
Ma proprio in quel momento, il capitano
chiamò a **gran** voce anche altri tre
moschettieri, con cui doveva chiarire alcune
questioni.
– Athos! Porthos! Aramis!
Quel grido fece calare il silenzio in tutto il

palazzo: si sentiva solo il rumore dei passi dei moschettieri chiamati, che si **AVVICINAVANO**.

Con Porthos e Aramis, che D'Artagnan aveva già visto, entrò anche Athos: era alto e **imponente**, ma **PAL-LIDISSIMO** e sembrava che qualcosa gli facesse molto male.

Tréville, senza nemmeno un saluto, cominciò: – Sono molto **DELUSO** da voi! Il re mi ha riferito che vi siete scontrati con alcune guardie del cardinale! Siete stati battuti e ve la siete pure data a gambe!

I moschettieri fremevano, ma tacevano.

Tréville continuò a strepitare: – Sono molto imbarazzato per quanto è accaduto!

Porthos osò parlare per primo: – Capitano,

eravamo pari per forza e valore, ma ci hanno preso alle spalle! Hanno subito FERITO Athos. Eravamo molto preoccupati per lui: sembrava GRAVISSIMO! Poi ci hanno ARRESTATI, ma quando siamo riusciti a SCAPPARE, siamo subito tornati indietro per salvare Athos e portarlo con noi!

Il viso di Tréville divenne un po' alla volta più SORRIDENTE e, alla fine, sospirò: – Questo racconto vi rende più onore! Non è vero che vi siete comportati in maniera codarda!

E si avvicinò per stringere loro le mani, ma appena Athos sollevò il braccio, cadde a terra svenuto.

Porthos spiegò: – Lo hanno ferito a una spalla! Sta davvero male!

Tréville si affannò: – Presto! Soccorrete questo valoroso moschettiere!

Mentre gli altri si prendevano *cura* di Athos, Tréville si occupò finalmente di D'Artagnan.

– Allora, giovanotto, che cosa volete da me?

Con la voce che tremava, D'Artagnan cominciò: – Signore, mio padre fu vostro grande **amico**.

– Certamente! Ricordo vostro padre! Uno spadaccino di gran valore!

GONFIO d'orgoglio per quelle parole, D'Artagnan continuò: – Avrei voluto portarvi una lettera *scritta* di suo pugno, ma mi è stata rubata a Meung.

Tréville non **NASCOSE** la sua curiosità:

– Rubata?! Molto strano...

– Proprio così, strano e fastidioso. È stato un uomo davvero arrogante, con i capelli scuri, i baffetti e...

Negli **OCCHI** di Tréville passò un lampo:

– ...con una CICATRICE sulla fronte, sopra l'occhio sinistro?

– Esattamente! Come fate a saperlo?!

Tréville si INCUPÌ: – Quell'uomo è un pericolo per me e per tutti i moschettieri! Ma ora forza, giovanotto, raccontatemi come avete incontrato questo SCONOSCIUTO!

Lo scontro con i moschettieri

 D'Artagnan si affannò a spiegargli come fossero andate le cose.

Tréville si *preoccupò* sempre di più.

Alla fine del racconto decise di SEGNALARE quel giovane all'Accademia Reale, anche se D'Artagnan rimase un po' DELUSO:

– Ma... il mio sogno è entrare a far parte delle *vostre* guardie. Diventare un moschettiere!

– Mi dispiace, ma le **REGOLE** sono che per due anni si presti servizio nelle guardie del cavaliere Des Essarts. Solo allora si può diventare moschettiere! Oppure, *solo in casi*

eccezionali, dopo aver dimostrato coraggio e valore, si può sperare di diventare moschettiere *prima* che siano trascorsi due anni.

D'Artagnan capì che non c'era nulla da fare e che era già F✸RTUNAT✸ a essere arruolato tra le file delle guardie di Des Essarts.

Così, anche se un po' deluso, *firmò* il foglio che gli porgeva il capitano.

Proprio mentre stava firmando, D'Artagnan vide lo sconosciuto di Meung passare nel cortile!

Allora si **PRECIPITÒ** fuori dalla stanza, abbandonando Tréville.

Mentre usciva *VELOCE*, inciampò e urtò proprio la spalla di Athos, che si era appena ripreso.

Il moschettiere, sempre più pallido dal dolore, gridò **arrabbiato:** – Sciocco!

D'Artagnan si offese subito: – Come vi permettete di parlarmi così?!

Una parola tira l'altra e, quando gli animi sono **RISCALDATI**, purtroppo si fa in fretta a litigare. Così finì che Athos e D'Artagnan si sfidarono a duello. Si sarebbero visti per mezzogiorno in punto dietro il palazzo del Luxembourg.

D'Artagnan riprese l'*INSEGUIMENTO*, ma non doveva proprio essere la sua giornata fortunata!

 Mentre stava uscendo dal **CORTILE**, trovò Porthos e, nella fretta, gli pestò il suo preZioso mantello rosso.

Il drappo si stracciò con uno strappo secco e cadde a terra.

Porthos perse la pazienza: – Sta' attento, gran maleducato!

D'Artagnan non avrebbe voluto fermarsi e si limitò a gridare: – Mi scusi! Sono di fretta!

Ma Porthos insistette: – Sei un maleducato!

D'Artagnan **SCATTÒ** subito: – Maleducato?! Lei mi OFFENDE!

E come poteva finire se non con una sfida a duello? Fissarono per l'una, sempre dietro il Luxembourg.

Ormai D'Artagnan aveva perso di vista lo SCONOSCIUTO con la cicatrice, e rinunciò all'*INSEGUIMENTO.*

In lontananza vide Aramis che stava chiacchierando con altri tre uomini.

D'Artagnan notò che dalla tasca gli era caduto un fazzoletto con due iniziali *ricamate* che ora stava pestando con un piede.

Allora pensò di fare una gentilezza almeno a lui. Così si avvicinò al moschettiere, raccolse il fazzoletto da sotto il tacco e disse: – Le è caduto questo…

Lo sguardo **contrariato** di Aramis e le OCCHIATE incuriosite degli altri fecero capire a D'Artagnan di aver commesso un gesto sbagliato. Infatti D'Artagnan ignorava che i fazzoletti vengono regalati dalle *dame* ai cavalieri, ma di solito i gentiluomini non li vogliono mostrare in pubblico!

Anche se cercò di *scusarsi*, D'Artagnan rimediò la terza sfida a duello, fissata per le due, al solito posto!

Uno per tutti,
tutti per uno!

Tre duelli così ravvicinati avrebbero SPAVENTATO chiunque! Ma non certo D'Artagnan! E, visto che non aveva niente di meglio da fare, andò subito al Luxembourg. Anche Athos era già lì. Iniziarono a chiacchierare in attesa che arrivassero i due testimoni dello sfidante. D'Artagnan si avvicinò al moschettiere e disse: – Vorrei sinceramente scusarmi per il **dolore** che vi ho provocato, Athos. E non lo dico per non affrontare il duello, ma perché mi dispiace davvero.

Poi aggiunse: – Se preferite rimandare a quando sarete guarito, possiamo accordarci. So che siete molto **FORTE**, ma se volete battervi nel pieno delle energie, è vostro diritto. Athos parve molto **COLPITO** dalle parole di D'Artagnan: – Sei davvero molto ONESTO, e anche molto orgoglioso, ragazzo! Conquistata la sua fiducia, D'Artagnan approfittò di quel tempo a loro disposizione per raccontargli dello **SCONOSCIUTO** di Meung e della lettera di suo padre per Tréville. Notizie che **INCURIOSIRONO** parecchio il moschettiere.

Quando i suoi due testimoni arrivarono si scoprì che uno era Porthos e l'altro Aramis. D'Artagnan esclamò *sorpreso:* – Sono

proprio loro quelli con cui devo battermi a duello tra poco!

La situazione era davvero singolare!

Ma non ci fu tempo per approfondire chi si sarebbe **BATTUTO** per primo, perché proprio in quel momento arrivarono alcune guardie del cardinale.

– Moschettieri, che cosa fate? Vi sfidate forse a duello? Non sapete che è **PROIBITO?!**

D'Artagnan ormai aveva capito che tra i moschettieri e le guardie del cardinale non **CORREVA** buon sangue. Ma non avrebbe mai immaginato che uno scambio di battute come quello sarebbe presto sfociato in un... combattimento in piena regola!

D'Artagnan decise subito di parteggiare per i moschettieri e di aiutarli nella LOTTA.

Fu tanto coraggioso e talmente bravo che,
quando vinsero e misero in **FUGA** i rivali, i
tre lo guardarono con uno sguardo di sincera
ammirazione.

Non c'era dubbio: D'Artagnan aveva guada-
gnato tre amici e i tre moschettieri avevano
trovato qualcuno che non li avrebbe mai
abbandonati.

Da allora, il loro motto sarebbe stato

UNO PER TUTTI, TUTTI PER UNO!

Un incontro
con il re

Tréville avrebbe dovuto rimproverare i moschettieri per la loro ennesima lite con le guardie del cardinale, ma era fiero del fatto che questa volta fossero stati i più **FORTI**.

Così decise di sgridarli ad alta voce, per farsi sentire da tutti. Ma subito, sottovoce, si *complimentò* con loro.

Restava da affrontare il re, che a questo punto doveva intervenire per mettere fine a quelle **RISSE** continue tra i moschettieri e le guardie del cardinale.

Il giorno stesso il re fece convocare Tréville.
C'è da dire che, dall'alto del suo TRONO, il
sovrano non sapeva se mostrarsi infastidito o
DIVERTITO dalle baruffe tra i due corpi di
guardia. Infatti, non sopportava che si
azzuffassero di continuo, ma sapeva che
la rivalità aiutava i moschettieri e le guardie a
essere sempre ben ALLENATI. Infine aveva
una certa predilezione per i moschettieri.
Dopo aver ascoltato la versione dei fatti
infiocchettata dalle aggiunte di Tréville, disse
solenne: – Mi piacerebbe conoscere questi
moschettieri che hanno messo in FUGA le

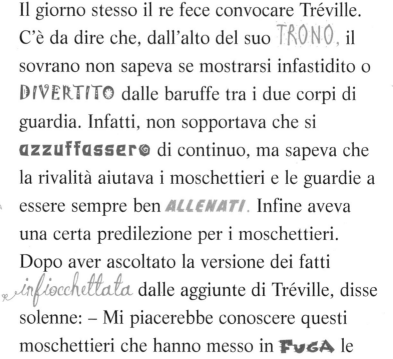

guardie del cardinale! E quel
RAGAZZO... come avete detto
che si chiama? Ah, sì, D'Artagnan! Tréville, falli venire qui
tutti e quattro domani.

Un appuntamento con il re! Questa sì che era una grande occasione, un *privilegio* davvero straordinario!

L'appuntamento era fissato per mezzogiorno, ma Athos, Porthos, Aramis e D'Artagnan si ritrovarono già di prima mattina: erano **emozionatissimi!**

Per ingannare il tempo, decisero di disputare una partita a palla con altri moschettieri. Il luogo migliore dove giocare erano le scuderie del Luxembourg.

E dunque andarono lì.

Presto la partita si fece molto animata. Tutti giocavano non

solo per diletto, ma anche per vincere! In fin dei conti è tipico degli uomini **CORAGGIOSI** mostrarsi competitivi.

Insomma, l'incontro si fece così combattuto

che D'Artagnan riuscì a evitare solo per poco
una PALLONATA in viso.

Per non correre altri rischi proprio in quel
giorno così importante, decise di andare a
sedersi in tribuna. Ma sentì una voce che
diceva con IRONIA: – Non pensavo che si
potesse avere così tanta PAURA di una palla!

A parlare era stato un certo Bernajoux, una
guardia del cardinale.

D'Artagnan si girò di scatto: – Osate insi-
nuare che io sia un fifone?!

Come avrete già immaginato, tutto finì con
l'ennesima sfida a duello.

D'Artagnan COMBATTÉ come un leone e
ben presto gli altri moschettieri corsero ad
aiutarlo. La rissa fu COLOSSALE e, alla
fine, Bernajoux si ferì seriamente.

I moschettieri capirono di aver combinato un

GUAIO di troppo. Non dovettero nemmeno avvisare Tréville, perché certe voci corrono più **VELOCI** del vento.

Il loro capitano si era già recato a casa del ferito. Bernajoux, che aveva un certo senso dell'onore, raccontò le cose come erano andate davvero e cioè come avesse provocato D'Artagnan e come quest'ultimo si fosse battuto con **CORAGGIO**.

A causa di questi eventi, Tréville e i quattro spadaccini arrivarono al palazzo reale molto in ritardo.

Quando il re li raggiunse, era davvero **contrariato**. Solo la stima che nutriva per Tréville gli fece trovare il tempo e la voglia di ascoltare ancora una volta le sue giustificazioni. Il capitano fu così *sincero* che anche il sovrano alla fine gli credette.

Non capitava spesso che il re fosse ben disposto, ma quella volta addirittura diede a D'Artagnan un sacchetto di monete d'ORO.
E ordinò che il ragazzo venisse arruolato *immediatamente* all'Accademia delle guardie di Des Essarts.
D'Artagnan era al settimo cielo dalla felicità.

Chi ha rapito
Constance Bonacieux?

ualche giorno dopo, D'Artagnan si
stava riposando nella sua stanza
quando sentì **bussare** alla porta.
Non aveva ancora messo mano alla maniglia
che già la porta si era spalancata. Nella stanza
entrò un uomo piccolo, goffo e un po' anzia-
no. Era il signor Bonacieux, il padrone di
casa! Era un tipo davvero poco
SIMPATICO, tirchio e molto pettegolo.
Si rivolse subito a D'Artagnan: – *Signore*,
voi che state sempre con i moschettieri, certamente mi potete aiutare… e, in cambio, chiu-

derò un **OCCHIO** sull'arretrato del vostro affitto!

– Volentieri, se vi posso essere utile... ditemi.

– Vedete, mia *moglie* Constance è nipote del maggiordomo della regina, il signor De La Porte. Grazie a questa parentela, Constance lavora come cucitrice di sua maestà ed è molto in confidenza con la sovrana. D'Artagnan SEGUIVA il discorso con attenzione, aspettando di capire dove volesse andare a parare Bonacieux.

L'uomo proseguì: – Sto aspettando mia moglie da qualche giorno, ma non torna più a casa e ho motivo di credere che sia stata RAPITA!

– E come mai credete questo?

– Come vi dicevo, mia moglie è al corrente di alcuni segreti della regina stessa. Come sicu-

ramente saprete, il cardinale non sopporta la
SOVRANA e soprattutto non tollera che
tenga rapporti confidenziali con un certo
Lord Buckingham, di cui mia moglie parla
spesso. Constance sa tutte queste cose e
anche molte di più! Per questo ho PAURA che
l'abbiano rapita!

D'Artagnan era molto interessato alla vicenda
e curioso di saperne di più: – Di chi
SOSPettate?

– Negli ultimi giorni ho visto spesso qui intorno un uomo dai capelli scuri, con i baffetti CURATI...

D'Artagnan SOBBALZÒ: – Ha per caso una
cicatrice sopra l'occhio sinistro?

Bonacieux lo guardò stupito: – Sì! Ma
come fate a saperlo?

Di nuovo lo sconosciuto di Meung!

Sospettoso, D'Artagnan si affacciò alla finestra e… lo sconosciuto di Meung era *proprio* lì di fronte, avvolto in un mantello, che li spiava dal marciapiede.

D'Artagnan gridò: – Ci penso io!

E si precipitò all'*INSEGUIMENTO.*

Ancora una volta, però, quel losco figuro gli sfuggì per un soffio.

Per F*RTUNA incontrò Athos e Porthos. Si sfogò con i due amici e raccontò loro di Bonacieux, di Constance e dello sconosciuto di Meung.

Sembrava proprio che anche per Porthos e Athos quello non fosse uno sconosciuto.

– *ACCOMPAGNACI* a casa tua e spiegaci tutto per bene! – dissero all'amico.

Ma non c'era proprio il tempo per i dettagli!

Chi ha rapito Constance Bonacieux?

Appena giunsero da D'Artagnan, sentirono
dal piano di sotto il signor Bonacieux urlare,
mentre quattro guardie del cardinale stavano
sfondando la porta.

D'Artagnan decise di giocare d'*astuzia*. Non
voleva sfidare le guardie perché avrebbe
rischiato di compromettere le sue
INDAGINI sul ritrovamento di Constance
Bonacieux. Scese le scale e disse con grande
calma: – Signori, scusate se siamo scesi.
Abbiamo sentito il **TRAMBUSTO** e volevamo
capire che cosa stesse succedendo. Non volevamo certo interrompere il vostro lavoro!

Le guardie, insospettite da quella *gentilezza,*
risposero: – Dobbiamo portare il signor
Bonacieux in carcere, alla Bastiglia.

Il padrone di casa **SGRANÒ** gli occhi ed
esclamò spaventato: – D'Artagnan, salvatemi!

Ma l'astuto giovane, che aveva già in mente
un piano, rispose: – Se vi stanno cercando è
perché vogliono qualcosa da voi. Non oserei
mettermi CONTRO la volontà del cardinale!
E fu così che l'uomo venne portato via.
D'Artagnan aveva semplicemente pensato
che, se avessero provato a difendere il signor
Bonacieux, sarebbero stati **ARRESTATI**
anche loro. Allora sì che non avrebbero potuto più aiutare il padrone di casa a ritrovare
 sua moglie!

Constance
è libera!

Da quel momento, **NOTTE** e giorno, nella casa di Bonacieux rimasero **NASCOSTE** alcune guardie del cardinale. Interrogavano chiunque si avvicinasse.

Cercavano notizie di Constance e sembravano avere *FRETTA* di trovarla.

Dove poteva essere finita la giovane cucitrice della regina Anna?

Il primo a vederla rientrare verso casa fu proprio D'Artagnan, che scorse la figura leggera avvolta in un lungo mantello nero.

Quando Constance aprì la porta, l'urlo di

una guardia lacerò il silenzio: – Ferma dove siete, signora Bonacieux! Dovete venire con noi immediatamente!

Le GUARDIE del cardinale, appostate nell'appartamento, erano pronte a tutto pur di sapere dove fosse stata. Per F❀RTUNA D'Artagnan, che aveva sentito tutto, scese di CORSA le scale e mise mano alla spada, mettendo in fuga quei MALINTENZIONATI.

D'Artagnan notò che Constance, nonostante fosse molto spaventata, era bellissima. Ne fu letteralmente abbagliato.

– Constance, come vi siete liberata? E chi vi ha rapito?

– Chi sia stato non so. Ho approfittato di una distrazione dei miei carcerieri e

mi sono calata dalla finestra con le lenzuola.
Ma voi *chi siete*?

– D'Artagnan, per servirvi. Abito nella stanza
qui sopra, che mi ha affittato vostro marito.
Non permetterò che rimaniate qui a correre
rischi. Vi **PORTERÒ** a casa del mio amico
Athos, dove non potrà accadervi nulla. E poi,
ditemi, che cos'altro posso fare?

– Siete molto *caro!* Bisogna avvisare mio
zio, il maggiordomo della regina. Ci sono
alcune cose che solo lui può **SISTEMARE**!

D'Artagnan seguì le istruzioni ricevute e fu
condotto fino dal signor De La Porte, al quale
disse dove si trovava Constance.

Il di D'Artagnan batteva a più non
posso. Gli sembrava di essere... innamorato!

Una lunga notte
di strani incontri

D'Artagnan prese la via di casa quando già stava calando la notte. Mentre camminava, non riusciva proprio a distrarre i suoi pensieri che, **GIRA** e **RIGIRA**, finivano sempre per tornare a Constance.

Gli **innamorati** hanno sempre bisogno di parlare con qualcuno e D'Artagnan ebbe l'idea di fermarsi a casa del suo **amico** Aramis. Lui, che era saggio e pacato, gli avrebbe saputo suggerire come comportarsi.

Mentre si avvicinava a **l u n g h i** passi alla casa del moschettiere, vide che dalla parte opposta arrivava una figura avvolta in un lungo mantello. Guardò meglio e **SGRANÒ** gli occhi: era Constance! Ma che cosa ci faceva lì?!

Curioso, D'Artagnan si **NASCOSE** dietro un cespuglio e osservò.

Constance bussò a una finestra della casa di Aramis. Da dentro rispose un **TOC TOC.** Sembrava un segnale!

Possibile che Constance conoscesse Aramis e lo vedesse *di nascosto*?!

Le imposte si aprirono e da dentro la casa, in controluce, si affacciò la **SAGOMA** di una dama. Le due confabularono.

Dopo poche, *RAPIDE* parole, Constance si avviò come chi ha davvero molta fretta e, forse, anche un po' di **PAURA.** D'Artagnan la

seguì a distanza per qualche passo, ma poi
non resistette alla curiosità e alla GELOSIA
che ancora lo mordeva e la raggiunse.
Quando le toccò la spalla, la poveretta
lanciò un grido. Poi, quando si accor-
se che era D'Artagnan, un po' si
ARRABBIO': – Mi stavate seguendo?
– No! Ma voi siete stata dove volevo
andare io: a casa del mio amico Aramis!
– Non conosco questo nome.
– Voi mentite! Eravate davanti alla sua fine-
stra poco fa!
– Ma io ho parlato con una donna!
D'Artagnan si sentì un po' sciocco a far quel-
la scena di gelosia senza nemmeno averne il
diritto e dunque chiese: – Ditemi, dove state
ANDANDO ora?
– Ho un appuntamento, ma ho promesso di

non parlarne con nessuno. È una questione importante per la nostra regina!

– Vi accompagno, allora!

– Ma poi ve ne ANDRETE subito, vero?

– Promesso, anche se mi dispiace non rimanere con voi, Constance.

Lasciata la sua amica davanti a una porticina, D'Artagnan decise che questa volta sarebbe davvero ANDATO a casa.

Purtroppo, là lo aspettavano notizie inquietanti: il suo servitore gli riferì che Athos era passato a trovarlo proprio quando un gruppo di guardie veniva per ARRESTARE lui. Athos era stato scambiato per D'Artagnan e lo avevano portato alla Bastiglia.

Questo voleva dire che il moschettiere non aveva rivelato lo scambio di persona.

CHE AMICO! Sicuramente lo aveva fatto per permettergli di continuare a **indagare!**

La situazione stava precipitando all'improvviso: doveva parlare con Tréville!

Ma a quell'ora della sera il capitano non era più nel suo studio e così D'Artagnan si ritrovò di nuovo a  VAGARE per strada, al buio.

Che notte!

A un certo punto, davanti a sé, vide due OMBRE che procedevano affiancate.

E una delle due era di nuovo Constance!

Ma quello accanto a lei, chi poteva essere?

Accecato dalla GELOSIA, D'Artagnan si parò davanti alla coppia.

Constance lo fulminò con un'occhiata:

– Smettetela di seguirmi! Potete rovinarci
tutti! Non tanto me, ma *Milord*...
– *Milord*?!
Con l'accenno di un inchino, l'uomo accanto
a Constance si presentò: – Sono il duca di
Buckingham.
Era il primo ministro inglese! **Nemico**
della Francia e del cardinale. Ma
molto amico della regina...
Inchinandosi, D'Artagnan gli
rispose: – Perdonate il mio tono
sospettoso!

Milord rispose: – Siamo di fretta! Accompa-
gnateci al palazzo reale e fateci da scorta.
D'Artagnan fu *felice* di essere utile e stette
bene in guardia fino all'ingresso secondario in
cui i due scomparvero.
Che notte di **AVVENTURE**!

La regina
incontra Milord

ntanto, dopo essere entrati al Louvre, il palazzo reale, Constance e il duca di Buckingham si addentrarono nel **labirinto** di corridoi e stanzette, che erano gli appartamenti della servitù.

Constance lasciò il duca in una stanza dove, dopo un po', entrò la ʳegina in persona.

– Milord, avete **RISCHIATO** troppo!

– Non potevo passare da Parigi senza incontrarvi, maestà!

– Se il re vi vedesse qui! O se il cardinale sapesse, mi rovinerebbe. Non aspetta altro!

La regina incontra Milord

– Volevo solo dirvi che il mio *cuore* vi appartiene!

– Milord, non dite queste cose, vi prego!

Milord GUARDÒ la regina con amore.

La regina restituì lo sguardo a Milord con altrettanto *sentimento*.

Poi andò nella sua stanza. Quando ritornò, aveva in mano un cofanetto.

– Prendete questo *regalo* per ricordarvi sempre di me e partite subito. Restare qui è troppo **PERICOLOSO!**

Pochi istanti dopo, Milord era su una carrozza che lo conduceva lontano da Parigi.

Stringeva in grembo il cofanetto di LEGNO di rosa decorato con le iniziali in oro della regina. Il cofanetto conteneva dodici spilloni di DIAMANTI.

Il cardinale
in azione

Mentre accadevano tutte queste cose, il signor Bonacieux se ne stava chiuso in carcere.

Era proprio spaventato.

E si sentì ancora più TERRORIZZATO quando due gendarmi lo condussero dal cancelliere per l'interrogatorio.

– Allora, signor Bonacieux, che cosa avete combinato?

– **IO?!** Io, niente!

– Siete accusato di alto tradimento!

– Ma non è possibile!

Il cancelliere fece una pausa, poi gli chiese:
– Avete moglie?
– Sì... cioè... no...
– Sì o no?
– Sì.
– E dov'è, ora?
– È stata RAPITA!
– Da chi?
– Da un uomo bruno con una CICATRICE
sulla fronte, sopra l'occhio sinistro.
– Sapete chi è?
– No!
L'interrogatorio continuò.
– Che cosa ci facevate da un certo
D'Artagnan?
Bonacieux pensò un pochino a che cosa
rispondere e poi disse: – È mio inquilino e...
stavamo solo parlando dell'affitto!

In quel preciso momento una porta si aprì e Athos fu **SPINTO** nella stanza. Il cancelliere passò lo **SGUARDO** dall'uno all'altro dei due prigionieri e poi si rivolse a Bonacieux: – Ora confronteremo la versione dei fatti con il vostro amico.

Bonacieux sembrava non capirci più niente e provò a **protestare**: – Ma lui non lo conosco! Lui *non è* D'Artagnan!

Anche il cancelliere iniziava ad avere le idee un po' **CONFUSE**. Chiese ad Athos: – Voi chi siete?

Il moschettiere fieramente rispose: – Athos!

Il cancelliere **batté** una manata sul tavolo: – E allora perché avete detto di essere D'Artagnan?

– Io *non l'ho detto*. Non mi è stato chiesto *chi*

fossi; sono solo stato arrestato dalle guardie.
Il cancelliere era davvero molto **IRRITATO** da
quella situazione. Fece un cenno con il capo e
subito i gendarmi si misero in moto. Athos
venne riportato in cella e il signor Bonacieux
fu rimesso in **CARCERE** fino alla sera. Il
poveretto ormai era convinto che gli toccasse
una **PUNIZIONE** terribile. Soprattutto quando
due guardie passarono a prenderlo e gli ordi-
narono di **SEGUIRLE.**

Bonacieux fu condotto al
cospetto di Richelieu.

Il cardinale iniziò la conversazione: – Dunque,
hanno rapito vostra
moglie?

– Sì, eminenza.

– *Brav'uomo*, sono

sicuro che vostra moglie presto *tornerà* a casa. E quando ciò avverrà, devo dirvi che noi abbiamo un vivo interesse a sapere che cosa combina. Per questo abbiamo bisogno di conoscere i suoi SPOSTAMENTI, senza però che la signora se ne accorga, è chiaro.

Bonacieux cercò di soppesare le parole. Capiva *benissimo* che gli stavano offrendo un'occasione unica ed era disposto a sacrificare sua moglie in cambio dell'amicizia di un personaggio potente come il cardinale!

E così disse: – Beh, non è che mia moglie mi racconti proprio tutto. Però qualcosa, di tanto in tanto, me la dice.

– Sono **SICURO** che voi, come marito, vi potrete *impegnare* per saperne di più.

Mentre parlava, il cardinale appoggiò sulla

scrivania una borsa piena di monete d'ORO
e lasciò intendere a Bonacieux che
le sue **informazioni**
sarebbero state ben pagate.
MOLTO ben pagate!

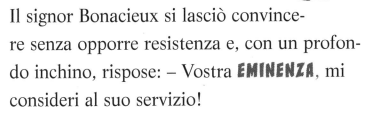

Il signor Bonacieux si lasciò convince-
re senza opporre resistenza e, con un profon-
do inchino, rispose: – Vostra **EMINENZA**, mi
consideri al suo servizio!
E mentre usciva tutto **gongolante** dallo
studio del cardinale, vide un tale che entrava
a sua volta, un certo Rochefort.
Guardandolo, Bonacieux ebbe un **sobbalzo**:
era quello che aveva rapito sua moglie!
Ma, ovviamente, a quel punto si sarebbe
guardato bene anche solo dal fare un cenno.
Ormai era diventato uno dei CONFIDENTI
del cardinale!

Mentre Bonacieux contava **avidamente** le MONETE, Rochefort (cioè lo sconosciuto di Meung che era cercato anche da D'Artagnan!) parlottava con il cardinale. Gli stava riferendo dell'incontro avvenuto a palazzo tra la regina e Lord Buckingham e anche del dono che la sovrana gli aveva fatto.

Il viso del cardinale si distorse in una SMoRFIA perfida: – Tra qualche giorno, a Londra, si terrà un ballo. Scommetto che Lord Buckingham indosserà gli SPILLONI di diamanti che la regina gli ha donato. Voglio dunque che due di quegli spilloni arrivino a me. E c'è una sola donna che possa farmi questo favore: Milady. Fatele avere il mio messaggio.

Eh sì, il cardinale parlava proprio di lei: la sconosciuta di Meung, quella che parlottava con Rochefort il giorno dello **SCONTRO** con D'Artagnan!

Il cardinale consegnò una lettera a Rochefort, che diceva:

Milady, al prossimo ballo,
rubate al duca due degli spilloni
che porterà sul panciotto.
Avvisatemi quando saranno
in mano vostra.

Rochefort la prese e non aspettò neppure un attimo: – La farò avere a Milady nel minor tempo possibile!

Il cardinale SORRISE perfidamente.

Una lettera
ben nascosta

Intanto, alla Bastiglia, Athos veniva interrogato.

Il suo atteggiamento era sempre lo stesso: deciso e impassibile.

In realtà, non avevano nessun motivo per TRATTENERLO in carcere, ma l'occasione di interrogare un moschettiere era un'opportunità molto GHIOTTA e così i cancellieri ne approfittavano.

Per Tréville era un'INGIUSTIZIA insopportabile che uno dei suoi potesse essere trattenuto in prigione. Così, appena seppe quello

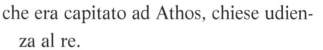

che era capitato ad Athos, chiese udienza al re.

Quando Tréville *ARRIVÒ* al Louvre, però, il sovrano era già impegnato con il cardinale. Stavano parlando di *Milord*, dei suoi incontri segreti con la regina e delle dame complici della sovrana: argomenti sgradevolissimi per il re (e molto stuzzicanti per il cardinale).

I due erano così occupati che non diedero quasi retta a Tréville. Alla fine, il re gli promise *SBRIGATIVAMENTE* che avrebbe fatto liberare Athos, senza nemmeno chiedere informazioni.

Era troppo **preoccupato** dalle notizie che stava ascoltando!

Infatti, il **PERFIDO** cardinale stava spiegando al re che i frequenti viaggi di Milord a Parigi non erano per motivi politici, ma perché era innamorato della regina!

Il re era davvero GELOSO. Anche perché il cardinale continuava a stuzzicarlo: – Sire, in realtà ci sarebbe un modo per capire i *sentimenti* della regina per Milord...

Il re si fece attento: – Ditemi, cardinale!

Questi si **sfregò** le mani e si avvicinò al re con aria di **COSPIRAZIONE**:

– Mi risulta che stamattina la regina abbia scritto una **l u n g a** lettera a Milord...

Il re sussultò. Poi chiese: – E... che cosa mi consigliate di fare?

Il cardinale si avvicinò *ancora di più* al re e gli sussurrò qualcosa all'orecchio.

Il re si ILLUMINÒ e chiamò il cancelliere, che venne spedito nel salotto privato della regina.

La regina, che era con le sue dame di compagnia, ricevette molto stupita la visita del cancelliere.

– Mi scusi, maestà, ma il re mi ha ordinato di perquisire la sua stanza, per cercare una *lettera* scritta da lei!

La regina tremò indignata: non aveva mai subito un'offesa così grande!

Ma dopo un po', quando il cancelliere ebbe finito di ravistare nella stanza,

dovette subire un'offesa ancora peggiore: – Sono molto spiacente – disse, – ma il re è stato molto chiaro: ora devo perquisire... *anche voi!*

La regina sgranò gli OCCHI: non poteva credere alle sue orecchie! Ma prima che il cancelliere MUOVESSE un solo passo, si sfilò indignata la lettera dal corsetto. Il cancelliere prese la busta, si inchinò MORTIFICATO e uscì dalla stanza.

Quando il re ricevette la lettera, le sue mani tremavano. La aprì e lesse tutto d'un fiato le prime righe. Ma subito sulla sua faccia si allargò un SORRISO radioso.

La regina non pensava nemmeno a tradirlo: era una lettera di INTRIGHI politici e basta!

La busta passò in mano al cardinale che, invece, fu molto meno contento: la lettera era stata scritta al re di Spagna, fratello della regina, per implorarlo di aiutarla a contrastare le trame del cardinale in persona!

Richelieu non si diede per vinto.

Mentre restituiva la lettera al re, disse: – Sono contento che tra le vostre

maestà non ci siano disaccordi. E, visto che la regina è stata così DURAMENTE messa alla prova, permettetemi di suggerirvi di farle un regalo e organizzarle una GRANDE festa. Vedrete che ne sarà felicissima! Si potrebbe fare tra un paio di settimane: giusto il tempo di preparare tutto il necessario!

Il re si entusiasmò: – Potrebbe essere un'ottima idea! Bravo, Richelieu!

Il cardinale strinse gli occhi in due fessure e sibilò: – Sarebbe anche l'occasione giusta per chiederle di sfoggiare i MERAVIGLIOSI spilloni di diamanti che le avete regalato tempo fa, per il suo compleanno... Ricordate?

Il re esultò: – Giusto, cardinale! Per fortuna ci siete voi, sempre così attento a tutto! Farò annunciare la festa alla regina, allora, e le chiederò di indossare gli spilloni di diamanti!

Finito il colloquio, il **CARDINALE** si ritirò nei suoi appartamenti. Proprio in quel momento gli **RECAPITARONO** la lettera che stava aspettando. Arrivava dall'Inghilterra e l'aveva mandata Milady. Il cardinale l'aprì e lesse:

Ho rubato i due spilloni a Milord.
Mandatemi il denaro
per raggiungere Parigi.

Richelieu richiuse la lettera e **SOGGHIGNÒ**.

Un favore
per la regina

Il mattino dopo, il re raggiunse la _moglie_ nei suoi appartamenti, dove si stava preparando per la giⓞrnata.

La regina era davanti a un enorme specchio e si stava ⓓⓔⓒⓞⓡⓐⓝⓓⓞ l'abito con pietre preziose.

All'apparizione del re, le cameriere che la stavano aiutando si allontanarono *RAPIDE*.

– Mia cara, vorrei dare una festa in tuo onore.

E per l'occasione vorrei che indossassi i dodici SPILLONI di diamanti che ti regalai per il tuo compleanno!

Un favore per la regina

A quella notizia la regina si sentì svenire e divenne PALLIDA come un cencio: – Ma... a dire il vero... avrei molti altri gioielli che vorrei mettere per quell'occasione.

– Ma gli spilloni sono i più belli. *Esigo* che tu li indossi!

Alla regina restava solo la possibilità di obbedire: – Certamente... se ti fa *piacere.*

Il re se ne andò e la regina scoppiò in singhiozzi non appena rimase sola.

Anzi, non esattamente sola.

Infatti nella stanza guardaroba c'era Constance Bonacieux, che aveva sentito tutto.

Timidamente, si avvicinò alla sua signora, le toccò una spalla e osò: – Mia regina! Scusatemi, ma ho sentito tutto. Come posso aiutarvi?

Un favore per la regina

La regina era **disperata**: – Oh, povera me! Ho regalato gli spilloni a Lord Buckingham e ora devo ASSOLUTAMENTE riaverli! Bisogna andare a prenderli a Londra e farli arrivare qua, in tempo per la festa. Ma non so a chi chiedere un favore così GROSSO e delica-to. Mi capisci?

Constance prese coraggio: – *Io* vi posso aiutare! Chiederò a mio marito di anda-re a Londra per voi!

La regina guardò Constance e la spe-ranza si riaccese nei suoi OCCHI: – Oh, gra-zie! Mille volte grazie! Quanto sei cara! Ti scrivo subito una lettera da dare a Milord.

– Per me è un piacere aiutare la mia regina!

– Te ne sarò sempre *grata!* Immagino che ti servano dei soldi per organizzare il viaggio.

– Sì, ne avrei proprio bisogno. Purtroppo,

anche se mio marito è abbastanza agiato, è piuttosto tirchio…

La regina tolse un anello molto prezioso da un portagioie: – Anch'io non ho denaro, perché il **CARDINALE** fa controllare tutte le mie spese! Però, se rivendi questo anello, sono **sicura** che ne ricaverai abbastanza per tutte le spese!

Tacque un *ISTANTE* e aggiunse: – Mi fido di te!

Constance prese la lettera e l'anello, salutò con un inchino e corse

rapidamente verso casa.

Il coraggioso
D'Artagnan

Constance entrò in casa e trovò il marito seduto al TAVOLO, con un'espressione **CUPA** in volto.

Senza farci troppo caso, disse: – Ho bisogno di un **grosso** favore!

Ma il marito non era certo di buon umore.

Un po' imbronciato e un po' piagnucolone, si lamentò: – Mi hanno messo in prigione per due giorni e tu non te ne sei neanche accorta.

– Sono in servizio a corte tutta la settimana, lo sai! Ma ora sei **QUi**. Quindi vuol dire che non ti è successo nulla di grave!

Il signor Bonacieux grugnì: a dire il vero gli sarebbe piaciuto essere COMPATITO almeno un po'. Ma, visto che non succedeva, disse:
– Che favore dovrei farti?
– In realtà, non è per me, ma per la regina...
Il signor Bonacieux SCATTÒ in piedi come punto da uno spillo: – Ah no! In prigione ho capito che chi ha ragione è il cardinale. Io sto con lui!
Oh! Che brutto colpo per Constance!
– Spiegami un po', come mai sei così convinto che il cardinale abbia ragione?
– Ho visto con i miei OCCHI!
Poi, desideroso di mettersi già al servizio del cardinale, cercò di carpire informazioni dalla moglie: – E... sentiamo, che cosa dovrei fare per la sovrana?
Dopo quello che aveva sentito, Constance

pensò che fosse meglio essere vaghi: – Uh...
Un ᴠɪᴀᴄᴄɪᴏ in Inghilterra.

E, mentre si guardava intorno, si accorse che
c'era un sacchetto di monete d'oro sul ᴛᴀᴠᴏʟᴏ.

– Da dove vengono quelle monete?

– Il cardinale sa aiutare chi sta dalla sua
parte!

Constance ʀᴀʙʙʀɪᴠɪᴅɪ: – Quindi ti sei fatto
corrompere!

Poi continuò: – Hai una sola possibilità per far pace con me: *PARTIRE*
subito per Londra!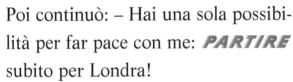

Il signor Bonacieux raddrizzò le spalle per
quanto poté e, ᴜꜱᴄᴇɴᴅᴏ dalla porta, esclamò:

– Non se ne parla nemmeno!

Nel frattempo, D'Artagnan aveva ascoltato
tutta la conversazione dal piano di sopra,
attraverso un ʙᴜᴄᴏ nel pavimento.

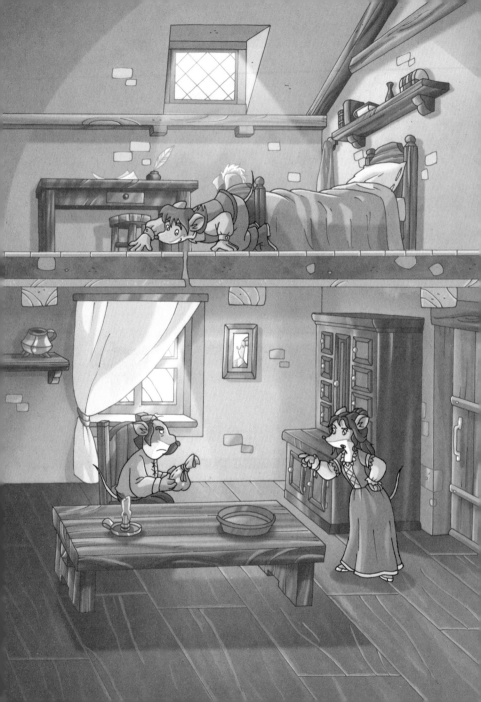

Decise di *scendere* subito da Constance,
desideroso di dimostrarle quanto fosse
innamorato di lei.

Scese le scale, entrò da
Constance e le si inginoc-
chiò accanto: – Andrò io a
Londra! *Fidatevi* di me!
Constance iniziava a trovare
proprio simpatico quel giovanotto: lui sì che era **CORAGGIOSO!**
Gli spiegò come stavano le cose e poi concluse: – Dovete andare e tornare in soli cinque
giorni. Conto su di voi!
Dalla strada provenivano delle voci.
Constance e D'Artagnan si affacciarono e
videro le GUARDIE del cardinale scortate dal
signor Bonacieux.
Sicuramente erano venuti per catturare

Constance: suo marito l'aveva TRADITA!
Presero dal tavolo l'anello della regina e il
sacchetto del denaro e salirono nella stanza
di D'Artagnan attraverso una scala interna.
Dalle fessure delle imposte chiuse videro
uomini che ENTRAVANO e USCIVANO
e tra loro c'era… nientemeno che lo
SCONOSCIUTO di Meung!
Non c'era tempo da perdere. Bisognava organizzare subito la spedizione a Londra!

In viaggio
verso Londra

La prima tappa di D'Artagnan fu lo studio di Tréville.

Gli disse solo: – Capitano, non posso raccontarvi tutto, perché ho promesso il segreto, ma devo compiere una **MISSIONE** per la regina. Ho bisogno di un permesso straordinario per allontanarmi da Parigi.

Tréville parve **preoccupato**: – Quanti giorni ti servono?

– Quelli necessari per *ANDARE* a Londra e *TORNARE*.

Tréville si grattò il mento: – Se si tratta di

andare lontano, forse è meglio che tu sia accompagnato dai tuoi tre amici. Mi sento più tranquillo se vi so insieme! Firmerò i permessi per tutti. Se qualcuno vi chiederà qualcosa, dite di aver accompagnato Athos alle terme, per riprendersi dalla ferita.

Con le carte *firmate* dal capitano, D'Artagnan mandò il suo servitore a chiamare i suoi amici.

Gli altri moschettieri lo raggiunsero in un **BATTIBALENO** e si misero ai suoi ordini. Erano talmente leali che non vollero sapere nulla, se non come organizzarsi.

Decisero che la lettera da portare a Londra sarebbe stata nella tasca di D'Artagnan. Se fosse stato **FERITO**, l'avrebbe presa chi fosse stato in grado di **PROSEGUIRE**.

L'importante era recapitare la lettera.

Loro, si sa, erano *uno per tutti, tutti per uno*!
Ormai era CALATA la notte e decisero di

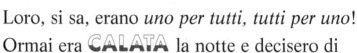

metteri subito in viaggio: le tenebre
li avrebbero protetti da OCCHI
indiscreti.

All'alba arrivarono nella città di
Chantilly e si fermarono tranquillamente a
fare COLAZIONE in una locanda.
Nel frattempo, però, il cardinale Richelieu
aveva sguinzagliato i suoi uomini per mandare in fumo la MISSIONE dei moschettieri. E
uno di questi uomini era seduto *giusto* accanto a loro nella locanda...
Fingendosi un viaggiatore qualsiasi, si ALZÒ
e propose a Porthos: – Vi offro la colazione
alla salute del cardinale!
Porthos, che non sapeva stare zitto, rispose:
– Preferisco alla SALUTE del re!

I due iniziarono a *litigare* e
il tutto finì in un duello.
Ma i quattro amici erano in
missione, non potevano fermarsi!
Così, d'accordo con gli altri
moschettieri, Porthos rimase
per il duello (ne andava del
suo onore) e promise che li
avrebbe raggiunti una volta
terminato lo **SCONTRO**.

Athos, Aramis e D'Artagnan partirono al
GALOPPO.

A un certo punto si accorsero che la strada
era interrotta da alcuni uomini che stavano
lavorando nel mezzo della via. In realtà facevano solo **FINTA** di lavorare, perché *anche
quelli* erano uomini mandati dal cardinale.

Quando i moschettieri chiesero loro di mettersi in disparte per farli passare, quei finti
⚙PĒRΛI corsero nel fossato a prendere i
moschetti. Il **CARDINALE** le stava provando
davvero tutte per impedire loro di arrivare
a Londra!

Aramis fu ₣ĒRẌIT⊕. Niente di grave,
ma non riusciva più a stare a cavallo. Così fu
affidato alle *cure* di un locandiere.

D'Artagnan e Athos proseguirono il viaggio
fino ad Amiens, dove vennero ingiustamente
accusati di essere falsari di monete.

Athos venne bloccato, ma D'Artagnan riuscì
a raggiungere Calais con una lunga
CAVALCATA.

Da Calais partivano le imbarcazioni che attra-
versavano la Manica, lo stretto di ⋒ΛRΞ
che separa la Francia dall'Inghilterra.

D'Artagnan arrivò al molo seguendo un
NOBILE con il suo valletto. Ascoltando
quel che il nobile diceva al responsabile del
porto, D'Artagnan capì che il cardinale aveva
IMPEDITO la partenza di tutti coloro che
non presentassero un permesso *firmato* di
suo pugno. E ovviamente lui non l'aveva!
Ma quel nobile pareva proprio di sì...
Così, il piano prese forma nella sua mente:
per prima cosa **seguì** il nobile verso lo studio del governatore del porto, dove doveva
far **TIMBRARE** il visto. Poi, senza farsi vedere, sfilò il permesso dalle tasche del
nobile, lo fece timbrare e infine si
imbarcò.
Da quel momento viaggiava con il
nome di duca di Ward!
Meno di un'ora dopo era già in mezzo al

In viaggio verso Londra

MARE, mentre tutte le altre navi, senza permesso, restavano ANCORATE vicino al molo.

A Dover, il porto inglese, prese una carrozza e si **PRECIPITÒ** a Londra.

Quando raggiunse il palazzo di Lord Buckingham, gli dissero che Milord era andato nella sua casa di CAMPAGNA.

Quanti contrattempi!

D'Artagnan impiegò altre ore di viaggio per raggiungere Milord nella sua tenuta, ma lì, finalmente, gli consegnò la lettera.

Milord la lesse con attenzione, scuro in volto.

Poi, arrivato all'ultima riga, disse: – Grazie, signore! Ora seguitemi a Londra, dove vi consegnerò quello che la regina chiede.

La gran festa
di corte

on appena giunsero nel palazzo di Milord a Londra, il duca condusse D'Artagnan in una stanza. Era una stanzetta accogliente e *romantica*: era tutta dedicata alla regina! C'era anche un suo enorme ritratto appeso alla parete. Milord doveva essere proprio **innamorato**...

Il duca, senza pronunciare parola, prese un cofanetto di **LEGNO** di rosa, lo aprì con cautela e fissò la luce riflessa dai diamanti. Lì c'erano gli spilloni della regina!

Ma il suo **SGUARDO** innamorato si trasformò in un'occhiata di TERRORE: – Oh no! Ne mancano due!

Poi corrugò la fronte pensieroso ed esclamò: – Milady! È certamente stata lei, durante l'ultima festa! Me li ha rubati!

Quello sì che era un problema, ma il duca di Buckingham non era certo tipo da arrendersi facilmente, soprattutto se doveva difendere l'onore della regina di Francia.

Gridò: – Che sia chiamato il mio orafo di fiducia!

Quando l'orafo arrivò, Milord gli mise a disposizione una stanza dove lavorare e gli ordinò: – Ho bisogno di due copie esatte di questi spilloni. Entro due giorni! Non mi importa il costo. L'importante è averli in tempo!

In men che non si dica, arrivarono a palazzo

anche tutte le ATTREZZATURE necessa-
rie e l'orafo iniziò il suo lavoro.

Finalmente D'Artagnan si poté concedere un
po' di riposo.

Al risveglio, un dubbio lo assillò: e se il cardinale avesse trovato il modo di impedirgli il
rientro a Parigi?

Confidò le sue paure a Lord Buckingham, che
rispose: – Avete ragione. E sono sicuro che il
cardinale avrà **bloccato** anche i porti inglesi. Ma io vi metterò a disposizione una mia
nave personale, che nessuno può fermare. Vi
porterà fino a un piccolo paese della costa
FRANCESE. Lì direte una paro-
la d'ordine a un oste che vi darà
il cavallo per arrivare VELOCE-
MENTE fino a Parigi.

Il duca aggiunse: – D'Artagnan, vi sono davvero molto grato per quello che state facendo. D'Artagnan rispose **ORGOGLIOSO**: – Lo faccio per la mia regina. Voi siete comunque un inglese, **nemico** del mio paese. Se ci incontrassimo in battaglia, mi comporterei in modo differente.

Il duca sorrise: – Apprezzo la vostra sincerità.

I due si strinsero la mano.

Appena l'orafo concluse il lavoro, D'Artagnan mise gli **SPILLONI** nella tasca interna della giubba e partì per il viaggio di ritorno.

Al porto di Dover, l'unica nave che si **mosse** dalla costa fu quella di Milord.

D'Artagnan stava lottando contro il tempo!

La festa di corte era per quella sera e la città era attraversata dal gran **fermento** dei preparativi.

La gran festa di corte

Gli invitati iniziarono ad arrivare alle sei.
Tra le urla della folla e il mormorio dei
NOBILI, il primo a entrare nel salone delle
danze fu il re. Subito dopo giunse il cardinale.
Infine, si vide entrare la regina.
Lo sguardo del cardinale corse subito al vesti-
to e, quando si accorse che non portava gli
spilloni, un SORRISO gli illuminò il viso.
E la sua espressione divenne ancor più
PERFIDA quando accarezzò i due spilloni che
teneva stretti in tasca per sbugiardare la
sovrana. Milady era riuscita a consegnarglieli
pochi istanti prima!
Anche il re aveva notato la stessa mancanza
ed era **FURIBONDO!** Si avvicinò alla moglie
e sibilò: – Non mi hai obbedito! Dove sono i
GIOIELLI che ti avevo chiesto di indossare?!
La regina rispose: – Va bene, va bene! Avevo

solo **PAURA** di perderli! Farò in modo che
qualcuno me li porti!

Detto e fatto, dopo pochi minuti Constance
glieli appuntò sul vestito.

Ma che cosa era successo, dunque?

Semplice: D'Artagnan era riuscito ad arrivare
in tempo per consegnare gli SPILLONI a
Constance, prima del ballo!

Quando il cardinale contò gli spilloni, deglutì
a fatica e, tra sé e sé, promise di vendicarsi.

Alla fine della festa, D'Artagnan fu scortato
nel salotto della regina che, ringraziandolo di
cuore per averla salvata, gli regalò un suo
preziosissimo anello.

D'Artagnan si sentiva felice come non mai.

Constance
sparisce di nuovo!

D'Artagnan arrivò a casa **stanco** e nella sua stanza trovò una lettera di Constance che gli dava appuntamento per la sera dopo. Che **sorpresa!**

Il giorno successivo quando giunse il momento di prepararsi, si vestì e si **pettinò** con tanta cura che quasi rischiò di essere in ritardo. Mentre stava per **USCIRE**, incontrò sulla soglia il signor Bonacieux. Il padrone di casa era molto più invadente del solito e non la finiva più di fare domande.

Il **CURIOSONE** voleva sapere una montagna di cose: dove era stato D'Artagnan, dove stava andando e a che ora sarebbe rientrato. Era molto più FICCANASO del solito! D'Artagnan sapeva bene che quel NOIOSO stava solo raccogliendo informazioni da vendere al cardinale. Per farlo stare zitto gli rispose: – Devo vedere una signora, ma state *tranquillo*: se rientrerò tardi, starò attento a non far rumore. Bonacieux dovette accontentarsi di quelle poche parole.

Alle dieci precise D'Artagnan era in attesa nel posto stabilito. Aspettò, ma non successe niente. Si vedeva solo la LUCE accesa in una stanza del palazzo di fronte. Dopo circa un'ora, cominciò a preoccuparsi. Si avvicinò alla finestra e vide che la stanza illuminata era in disordine, come se qualcuno avesse lottato.

D'Artagnan notò poi che, nel **FANGO** proprio sotto il davanzale, c'erano i segni delle
ruote di una carrozza. Forse era successo
qualcosa a Constance!
Bussò alla casa accanto, fino a svegliare un
vecchietto che dormiva all'interno.
Il vecchietto non voleva dire nulla, ma
D'Artagnan insistette tanto che fu costretto
ad ammettere: – Sì, sì, è **PASSATO** qualcuno,
ma mi hanno raccomandato di non dire assolutamente niente!
– Io faccio parte delle guardie del re, a me
deve dire tutto!
Il vecchietto allora confessò: – Sono venute
delle persone vestite di nero e mi hanno chiesto una scala. L'hanno appoggiata al muro
della casa accanto e hanno **RAPITO** la donna
che stava in quella stanza. Subito dopo sono

SCAPPATI. È tutto quello che so.

– Li ha visti in faccia?

– No, ma mi sembrava che ce ne fosse uno più basso degli altri. Era molto goffo.

D'Artagnan pensò che quella descrizione corrispondeva proprio a... Bonacieux!

Tutti insieme!

D'Artagnan era **preoccupato** e decise di confidarsi con Tréville.

Il capitano lo ascoltò con interesse e poi disse: – Qui c'è lo del cardinale! Accetta il mio consiglio: va' a recuperare i tuoi amici. Abbiamo bisogno di loro e per te è meglio stare per un po' lontano dalla città.

D'Artagnan partì ancora più volentieri quando, passando da casa, venne a sapere che il cardinale aveva mandato qualcuno a cercarlo. Non aspettò un minuto di più prima di met-

tersi in sella e RIPERCORRERE il tragitto
verso Calais, alla ricerca dei suoi compari.
Il primo posto che raggiunse fu l'OSTERIA
dove avevano lasciato Porthos.
Il moschettiere era **CHIUSO** in camera,
accudito dal suo domestico. A giudicare dal
conto che dovette pagare all'oste, si era trattato *MOLTO* bene per i pasti!
E il duello per cui si era fermato?
Per fortuna era finito bene, con
qualche graffio e una stretta
di mano: il suo sfidante era
solo una spia del cardinale.
E un *PESSIMO* spadaccino!
D'Artagnan lasciò Porthos a prepararsi
per la partenza e andò a cercare gli altri due.
Trovò quasi subito la locanda dove si era fermato Aramis. Si era curato la ferita e aveva

letto numerosi . Forse perché stava molto comodo, sembrava non avere tanta voglia di ripartire. Ma l'**ALLEGRIA** del suo amico D'Artagnan gli fece cambiare idea. Mentre anche Aramis faceva i preparativi, non restava che recuperare Athos.

Che **IMPRESA!**

Athos, per *SFUGGIRE* agli uomini del cardinale, si era rifugiato nella cantina di una locanda. Da lì non era più voluto uscire. D'Artagnan bussò con *delicatezza*, si fece riconoscere e ottenne il permesso di scendere. Trovò Athos del suo umore peggiore: già di carattere MALINCONICO di suo, rimanendo chiuso in una cantina non era certo diventato più allegro e ora era in vena di confidenze! Quando vide D'Artagnan, si sfogò con lui e gli raccontò la storia della sua vita.

Tutti insieme!

– Vedi, caro D'Artagnan, io discendo da una NOBILE famiglia. Da giovane, mi **innamorai** di una donna arrivata misteriosamente nella mia città. Tutta la mia famiglia non approvava questo amore, ma io mi ostinai e la sposai lo stesso. Un **brutto** giorno, durante un'escursione nei boschi, un ramo le strappò il vestito, scoprendole una spalla. Non dimenticherò mai quello che vidi: mia moglie era **MARCHIATA** con il segno dei ladri e degli assassini! Avevo sposato una delinquente! Me ne andai disperato e non la rividi più. Ecco, questa è la mia triste storia. Gli altri nostri amici non sanno nulla: l'ho raccontata solo a te.

D'Artagnan lo rassicurò: – Ti sono grato per la fiducia. Sai che non ti **TRADIRÒ**.

Detto questo, pagarono l'oste e se ne andarono per recuperare gli altri due compari.

Il **viaggio** fu spensierato: per i quattro amici era un *piacere* ritrovarsi insieme.

Al loro arrivo a Parigi, trovarono una *lettera* di Tréville che annunciava che di lì a qualche giorno sarebbero partiti tutti per combattere a La Rochelle, l'ultimo possedimento degli inglesi in **FRANCIA**.

Restava solo una questione da risolvere: dov'era Constance?

In casa
del nemico

La mattina dopo, D'Artagnan e
Porthos stavano passeggiando lungo
un viale e CHIACCHIERAVANO dell'impresa che
li aspettava. Gesticolavano e si ANIMAVANO.
Accanto a loro si fermò una carrozza, sulla
quale salì una donna.
D'Artagnan la riconobbe senza esitazione: era
la SCOnOSCIuta di Meung,
Milady!
Sentì che diceva al cocchiere: – Mi
porti a Saint-Germain!
Sarebbe ANDATO là anche lui!

Dopo aver salutato Porthos, D'Artagnan

passò dalla casa del capitano Tréville e si fece sellare un cavallo. Quindi partì al **GALOPPO**, facendosi accompagnare dal suo servitore.

Non impiegò molto ad **AVVISTARE** la carrozza lungo la via. La raggiunse proprio all'altezza del palazzo del duca di Ward, lo stesso cui aveva sottratto il permesso per attraversare la Manica.

Incuriosito, chiese al suo servitore di bussare per sapere se il conte stesse **bene.**

Il valletto di D'Artagnan arrivò al CANCELLO del palazzo *proprio* quando il domestico di Milady lo raggiungeva per lasciare un biglietto. E, siccome il domestico **CONFUSE** il valletto di D'Artagnan con quello del duca, finì che D'Artagnan seppe che Ward stava bene e che

Milady gli chiedeva di poterlo incontrare.

– Che io venga a sapere tutto questo con tanta FACILITÀ, significa che oggi è la mia giornata F*RTUNATA! Andiamo avanti e vediamo che cosa succede.

Intanto la carrozza era RIPARTITA, ma a un tratto si fermò e D'Artagnan, con l'andatura di chi fa una passeggiata, si affiancò giusto per accorgersi che accanto a Milady era seduto un uomo. I due stavano discutendo animatamente in lingua inglese.

La situazione si faceva sempre più interessante e D'Artagnan ne approfittò per intromettersi.

Bussò al finestrino e disse: – Signora, le serve aiuto? Quest'uomo le dà FASTIDIO?

Milady lo zittì bruscamente: – Lasci perdere, è solo mio fratello!

Ma l'altro si indispettì e sfidò
D'Artagnan a duello, per la sfronta-
tezza di essersi intromesso in una
discussione privata.

L'incontro fu fissato per quella sera
stessa, dietro il Luxembourg.

Mentre il sole TRAMONTAVA,
D'Artagnan arrivò all'appuntamento accompagnato dagli inseparabili moschettieri, mentre il fratello di Milady portò con sé come
testimoni alcuni amici.

Le presentazioni furono l'occasione per capire
meglio alcune cose.

Innanzitutto, lo **SFIDANTE** si chiamava Lord
Winter e non era il fratello ma il cognato di
Milady, che in realtà si chiamava Lady Clarick
ed era la *migliore* amica del cardinale.

Lei e il cognato erano inglesi, ma avevano

l'abitudine di vivere in **FRANCIA** per lunghi periodi.

Quando giunse il momento di incrociare le spade, tutti si misero in guardia. I moschettieri erano talmente più bravi e più **FORTI** che si offrirono loro stessi di interrompere l'incontro per non mettere gli altri troppo in difficoltà. E lo fecero con tanta *gentilezza* che anche quei cavalieri, molto attenti al loro onore, furono CONTENTI di accettare.

Così il duello divenne l'occasione per dare inizio a una bella amicizia tra D'Artagnan e il cognato di Milady.

Tanto che promisero di RIVEDERSI.

E fu così che, già dalla sera del giorno dopo, D'Artagnan fu ospite di Milady e di suo cognato.

Quanti intrighi!

Una sera dopo l'altra, D'Artagnan cominciò a frequentare la casa di Milady. E presto si **INVAGHÌ** di lei, anche se continuava a pensare alla sua Constance.

Ma Milady aveva il potere di affascinarlo... **SIMPATICA** e allegra una sera, scontrosa e **ANTIPATICA** un'altra, era imprevedibile e riusciva sempre a sorprenderlo. E più la conosceva e più desiderava vederla. Non gli dava più FASTIDIO nemmeno che fosse amica del cardinale. Solo una cosa era certa: D'Artagnan non dimenticava d'essere dalla parte della regina e sapeva che la sua missione era di ritrovare Constance!

A forza di frequentare la casa, aveva raggiunto una certa confidenza anche con Kitty, la giovane cameriera di Milady.

Da lei seppe che la sua padrona faceva la dOLCE con lui, ma continuava a mandare bigliettini anche al duca di Ward, nella speranza di poterlo incontrare.

D'Artagnan era GELOSO e offeso da questo atteggiamento. Così una sera si mise d'accordo con Kitty per saperne di più dei sentimenti che Milady nutriva verso di lui.

Quando arrivò alla casa di Milady, non si fece annunciare, ma si nascose in un **ARMADIO** della stanza di Kitty: da lì si sentiva benissimo quel che diceva la sua amica.

La dama si stava facendo aiutare dalla cameriera a indossare la camicia da **NOTTE** e le confidava: – Mi spiace che D'Artagnan non sia venuto, ma non mi preoccupo più di tanto per lui: so di averlo in pugno!

D'Artagnan ascoltava e *RIBOLLIVA.*

Milady continuò: – Sono più preoccupata per il silenzio di Ward. Appena puoi, domattina, consegnagli questo BIGLIETTO.

Quando Milady andò a dormire, D'Artagnan chiese a Kitty di consegnare a lui il biglietto. Lo lesse e scrisse immediatamente una finta risposta del duca di Ward.

Quanti intrighi!

*Mia cara, vi aspetto domani sera
nel vostro giardino.
Lì potremo danzare insieme sotto le stelle. Sarà molto romantico.*

Prima di ridare il foglietto a Kitty, le chiese:
– Hai mai sentito parlare di una certa
Constance Bonacieux?
Kitty rispose timidamente: – Mi pare di sì...
D'Artagnan si ILLUMINÒ: – Dunque, sapresti
dirmi se è ancora viva?
– Viva certamente sì, ma non saprei dire
dov'è.
– Hai fatto molto per me. Grazie mille, Kitty!
La sera dopo ci fu l'incontro in GIARDINO
tra D'Artagnan e Milady (che era convinta
invece d'incontrare il duca di Ward). Nel buio
della notte, Milady non si accorse dell'ingan-

no e regalò al suo compagno uno splendido anello.

Era così *felice* che il giorno dopo scrisse al duca un biglietto di ringraziamento per la bella serata. E si offese tantissimo quando ricevette una risposta molto **FREDDA.**
Milady non era tipo da sopportare cose del genere! Dunque, promise **VENDETTA.**
Convocò D'Artagnan e gli chiese di **sfidare** a duello il duca di Ward.

D'Artagnan cercò di farle cambiare idea:
– Voi siete una gran *dama* e dovete dare il buon esempio! Non c'è bisogno di vendicarsi!
Milady insistette con tanta foga che, agitando le braccia, si strappò la manica del vestito con le spine di una rosa del **GIARDINO.**
La seta si lacerò e mostrò... il **MARCHIO** di cui aveva parlato Athos: il giglio tatuato!

Quando si accorse di essere stata scoperta, Milady urlò e **SCAPPÒ** a chiudersi nella sua stanza.

D'Artagnan, sconvolto, corse da Athos. Entrò in casa dell'amico, gli raccontò tutto per filo e per segno e gli mostrò l'anello che aveva avuto in dono la **NOTTE** precedente.

Athos si era già fatto un'idea di quel che poteva essere accaduto, ma la vista dell'anello gli diede la conferma che non avrebbe mai voluto avere. Infatti, quello era un anello che un tempo era appartenuto a sua madre e che Athos aveva donato a sua *moglie.* E sua moglie era... Milady!

Una serie
di incredibili eventi

thos era molto preoccupato, anche se non lo dava a vedere. Si raccomandò a D'Artagnan: – Il cardinale è capace di tutto pur di **FERMARE** chi lo ostacola! E ora che sai il suo segreto, Milady farà di tutto per toglierti di mezzo! Sta' attento: sono persone **pericolosissime!**

Intanto i moschettieri stavano per *PARTIRE* per la loro nuova missione: l'assedio di La Rochelle, l'ultima fortezza degli inglesi sul suolo **FRANCESE**.

Pochi giorni prima della partenza, rientrando

a casa, D'Artagnan trovò ben due biglietti: uno in cui Milady sfogava la sua **RABBIA**; l'altro da parte del cardinale, che lo voleva incontrare prima di sera.

D'Artagnan, come sempre, ne parlò con i suoi compagni d'avventura.

Milady non lo **SPAVENTAVA**: sapeva già di dover stare attento con lei.

L'appuntamento con il cardinale, invece, lo preoccupava. E se fosse stato un tranello?!

– Secondo me devi andare! – disse Porthos.

– E se il cardinale lo facesse catturare? Se fosse una TRAPPOLA? – ribatté Athos.

– A me questa storia non

convince, D'Artagnan! – concluse Aramis.

Bisognava prendere una decisione, perché l'appuntamento era *proprio* per quel POMERIGGIO.

Alla fine D'Artagnan decise di ANDARE.

A incoraggiarlo era il fatto che i moschettieri erano sempre '*uno per tutti, tutti per uno*' e anche in quell'occasione lo avrebbero accompagnato.

Tutti e tre si appostarono a fianco di una delle uscite del palazzo del cardinale, pronti a intervenire in caso di necessità. E se D'Artagnan avesse impiegato più di un'ora, sarebbero andati a prenderlo.

– Sta' tranquillo, noi saremo qui ad aspettarti! – disse Athos.

D'Artagnan gli SORRISE e annuì.

Quando entrò nello studio, il cardinale

GUARDÒ a lungo il suo ospite e poi disse:

– Dunque, voi siete D'Artagnan? Ho sentito

parlare tanto di voi.

D'Artagnan si inchinò, ma non disse niente.

 Il cardinale PROSEGUÌ: – So che a

Londra avete svolto un egregio ser-

vizio per la regina. In molte occa-

sioni siete stato leale e forte, anche

se avete agito in un modo che non approvo.

Proprio perché siete ONESTO e coraggioso,

mi farebbe piacere potervi prendere a servizio

tra le mie GUARDIE!

D'Artagnan non credeva alle proprie orec-

chie! Tutti quei COMPLIMENTI lo mette-

vano in un pasticcio: non voleva assolutamen-

te saperne di stare dalla parte del CARDINALE,

ma rifiutare l'offerta significava **OFFENDERE** quell'uomo di potere.

Scelse con cura le parole: – Eminenza, la vostra proposta mi *onora* profondamente. Sarei felicissimo di poterla accogliere. Come voi sapete, però, ho giurato FEDELTÀ alle guardie del re e un gentiluomo ha *una sola* parola d'onore. Quindi, mi spiace, ma non posso proprio accettare.

Gli occhi del cardinale si strinsero fino a diventare due fessure. Poi chinò la testa in segno di comprensione: – Allora, se questa è la vostra scelta, siete **LIBERO** di andare.

D'Artagnan si inchinò e uscendo non poté trattenersi dal dire: – Spero sinceramente che vostra eminenza non mi porti RANCORE.

Uscì poi a precipizio e **CORSE** a raccontare tutto ad Athos, Porthos e Aramis, che non furono meno **MERAVIGLIATI** di lui per quella strana proposta. E chissà quale sarebbe stata la prossima mossa del cardinale... Ma, ancora una volta, a distoglierli dai loro pensieri c'era un'**EMERGENZA:** il giorno dopo sarebbero partiti per l'assedio di La Rochelle e ancora dovevano prepararsi.

Milady
non si arrende

La Rochelle si stava disputando un braccio di **FERRO** tra inglesi e **FRANCESI**. Questa volta la volontà del re e quella del cardinale coincidevano perfettamente: volevano conquistare la città e **SCACCIARE** il nemico.

Athos, Porthos e Aramis, che facevano parte della scorta del sovrano, furono costretti a fermarsi a metà del percorso per un suo improvviso attacco di *FEBBRE*.

Dunque, D'Artagnan arrivò per primo alla **FORTEZZA** assediata.

Il battaglione di cui faceva parte era il primo della colonna. Appena arrivò in vista del campo di battaglia, il suo comandante disse:
– Servono alcuni uomini per una **MISSIONE** molto delicata. Si tratta di andare in avanscoperta per vedere se il tratto di TERRENO davanti a noi è sicuro. Chi si offre volontario?
D'Artagnan si fece avanti, seguito da due soldati semplici.

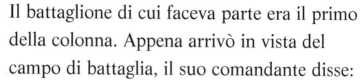

Una volta partiti, D'Artagnan disse ai compagni: – Io AVANZO, voi copritemi le spalle.
Ma non sapeva che errore stava commettendo! Perché quei due *semplici soldati* erano due uomini al servizio di Milady!
Infatti, non appena si fu allontanato di qualche passo, un proiettile gli sibilò alle spalle.

Milady non si arrende

D'Artagnan riuscì a SCHIVARLO, a nascondersi e a tornare sui suoi passi. Così colse di sorpresa i suoi nemici, li disarmò e li costrinse a confessare: – Siamo stati molto ben pagati da Milady per toglierti di mezzo! TRADITORI!

D'Artagnan li perquisì e trovò una lettera di Milady destinata al cardinale. Leggendola, venne a sapere che Constance ora si trovava in un convento. La regina era intervenuta per ottenere la sua liberazione e l'aveva messa sotto la sua protezione. Che GIOIA!

Mentre D'Artagnan leggeva, i due soldati se la diedero a gambe e non si videro più.

Il giorno dopo arrivarono anche Porthos, Athos e Aramis e i quattro amici decisero di

FRANZARE insieme, negli alloggi di
D'Artagnan. Mentre i domestici apparecchia-
vano la tavola, un garzone bussò alla porta:
– Ho un cesto di FORMAGGI per il signor
D'Artagnan: è un omaggio dell'oste della
città.
I quattro amici, CONTENTI, misero nei
piatti quelle delizie. Ma proprio in quel
momento arrivò il corteo del re: dovevano
CORRERE a mettersi in parata per i saluti
di benvenuto! Così rinviarono il banchetto.
Più tardi, quando tornarono per pranzare,
trovarono un topolino morto a terra, con un
pezzo di formaggio vicino: il regalo per
D'Artagnan era avvelenato!
Tutti e quattro ebbero lo stesso pensiero:
Milady aveva cercato ancora una volta di
UCCIDERE D'Artagnan!

Colpo di scena
alla locanda

Qualche **NOTTE** più tardi, Athos, Porthos e Aramis erano di guardia e D'Artagnan teneva loro compagnia.

Nel buio sentirono qualcuno: – **CHI VA LÀ?!**

Una voce inconfondibile rispose: – Sono il cardinale Richelieu.

Che strana COMBINAZIONE!

Athos, che era furbo quasi quanto D'Artagnan, si AVVICINÒ: – Vostra eminenza viaggia con due soli uomini di scorta! Troppo pochi. Possiamo metterci al vostro servizio, signore?

Colpo di scena alla locanda

Pareva un'offerta un po' STRANA da parte loro, ma il cardinale sembrò contento:
– Apprezzo la vostra offerta. Per la mia SICUREZZA, accetto il vostro servizio.
Tutti e quattro lo seguirono fino a una locanda persa nel bosco. Lì il cardinale salì in una camera per incontrare un ospite.
I moschettieri si misero ad aspettarlo in una grande stanza, con un'enorme STUFA.
A un certo punto sentirono delle voci rimbombare dai tubi della stufa: erano quelle del cardinale e di Milady!

Il cardinale diceva che una nave stava per salpare alla volta dell'Inghilterra. Milady avrebbe dovuto IMBARCARSI e andare dal duca di Buckingham.
Aggiunse: – Appena sarai a Londra, andrai a

cercare il duca. Presentati e digli di stare lontano dalla regina perché io so tutto: ho persino le loro lettere d'*amore* e non vedo l'ora di rovinarli tutt'e due. Il duca non deve essere più un pericolo per la **FRANCIA!**

Milady rispose: – Lo farò, eccellenza. Purché in cambio mi promettiate di mettere D'Artagnan in prigione. E poi voglio che Constance non **ESCA** più dal convento in cui è rinchiusa!

Il cardinale accettò. Poi le consegnò una lettera, in cui c'era scritto:

Chi possiede questa lettera è giustificato per ogni azione che abbia compiuto, perché ha agito su mio ordine e per il bene della Francia!
3 dicembre 1627

RICHELIEU

Colpo di scena alla locanda

Athos era molto **turbato**. – Dobbiamo assolutamente mettere le mani su quella lettera! Altrimenti Milady potrà fare tutto quello che vorrà!

Un quarto d'ora più tardi, il cardinale scese e chiese di essere **RIACCOMPAGNATO**.

Quando furono usciti, Athos tornò alla locanda con una scusa. Disse all'oste che il cardinale aveva dimenticato una cosa importante e che l'aveva incaricato di andare a prenderla nella stanza dove era appena stato.

Imboccò le scale e, senza **bussare**, spalancò la porta della stanza di Milady.

La dama si girò e, riconoscendolo, divenne **BIANCA** in volto.

Athos era deciso e severo: – Ci ritroviamo,

finalmente! Sei una **BUGIARDA** e una spia!
Sappi che io e i miei amici ostacoleremo i
tuoi perfidi piani!
Milady reagì: – Non mi fai **PAURA!**
Poi guardò Athos con occhi **GLACIALI.**
Ci fu un attimo di silenzio e Athos si accorse
che, appoggiata sul tavolino, c'era la
pericolosa lettera che il cardinale aveva
dato a Milady. Così, prima di andarsene, la
prese e se la mise in tasca, senza che Milady
se ne accorgesse.
TRIONFANTE, ridiscese le scale e raggiunse i suoi amici. Poi porse a D'Artagnan
la lettera, dicendo: – Tieni, amico mio. Penso
sia meglio che la conservi tu. *Forse un giorno
ti sarà utile...*

Una riunione
straordinaria

Per qualche giorno, le vicende dell'assedio a La Rochelle impedirono ai quattro amici di parlarsi *tranquillamente*: eppure ne avevano un gran bisogno, dopo tutto quello che era successo alla locanda nel **BOSCO!**

Una mattina si trovarono per la colazione, ma erano circondati da troppi soldati. E chissà tra loro quanti uomini del cardinale si **NASCONDEVANO!**

Fu allora che ad Athos venne una grande *IDEA.* Infatti, poco lontano, l'esercito francese

aveva conquistato un bastione nemico. Era una zona molto **pericolosa** e, dunque, perfetta per una riunione segreta: tutti, spie comprese, se ne sarebbero stati bene alla

l a r g a!

Con tutta la sua imponente statura, Athos si alzò e disse: – Scommetto che io e questi tre miei amici andremo LASSÙ al bastione e faremo un picnic di almeno un'ora, in mezzo ai nemici!

La scommessa raccolse un grandioso successo: erano tutti molto emozionati all'idea di quella prova di coraggio e, di sicuro, nessuno avrebbe osato seguirli!

Detto e fatto, i quattro partirono con un CESTO pieno di cibo.

I nemici, appena li videro, iniziarono a sparare contro di loro. Così Athos, Porthos,

Aramis e D'Artagnan furono costretti a combattere mentre... discutevano sul da farsi!

– È davvero difficile parlare con tutto questo baccano! – urlò Porthos tra gli spari.

– Hai ragione! E c'è pure TROPPA gente! – urlò Aramis, mentre cercava di caricare il suo moschetto.

Ma, tra un attacco nemico e l'altro, i nostri eroi riuscirono a DISCUTERE degli avvenimenti, a mangiare il loro pranzo e anche a decidere che cosa fare nei giorni seguenti. Era comunque chiaro che l'intera vicenda stava diventando un caso internazionale!

Mentre confabulavano, si era adunata una piccola folla di spettatori. E non mancavano, tra il pubblico, il cardinale e il capitano

Tréville. Quei quattro, non c'era dubbio, riuscivano sempre a STUPIRE!

Quando ridiscesero, dopo aver tenuto a bada i nemici e aver svolto la loro riunione, furono accolti come EROI!

Ma non rimasero certo a godersi i complimenti: dovevano mettersi subito all'opera per FERMARE i progetti del cardinale!

Così scrissero due *lettere*.

Una era per la regina Anna: le suggerivano di guardarsi dagli intrighi del cardinale e le rivelavano le sue prossime MOSSE.

La seconda era per il duca di Buckingham, ovvero Milord: gli raccomandavano di stare attento e di GUARDARSI da chiunque.

Soprattutto da Milady!

Così, grazie a quei preziosi avvertimenti, il cardinale non poté più mettere in pratica i suoi piani.

Ma c'era ancora un **pericolo** in libertà: Milady!

Athos, Porthos, Aramis e D'Artagnan decisero di fare in modo che la **PERFIDA** amica del cardinale non potesse più nuocere a nessuno! E a D'Artagnan venne un'IDEA...

Milady
in prigione!

ntanto Milady stava viaggiando alla
volta dell'Inghilterra.

Quando arrivò, trovò ad accoglierla un giovane ufficiale **biondo.**

– Milady, la prego di **SEGUIRMI.**

– E voi chi siete? Come vi permettete di
darmi ordini?

– Signora, i rapporti tra **FRANCIA** e
Inghilterra sono molto tesi e abbiamo avuto
indicazioni precise sull'accoglienza degli stranieri. La prego di credere che sarà al
SICURO con me e che non la tratterremo

certo più di quanto sia strettamente necessario.
Visto che non era possibile fare diversamente,
Milady salì sulla carrozza.
Dopo un breve viaggio, giunsero a un
CASTELLO. A un fischio dell'ufficiale, arri-
varono alcuni servitori che scaricarono i
numerosi **bagagli** della passeggera e li por-
tarono in un lussuoso appartamento.
Lussuoso sì, ma non abbastanza da maschera-
re le sbarre alle FINESTRE e i chia-
vistelli alla porta!
Milady era in TRAPPOLA!
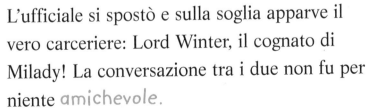
Chi osava tanto contro una pro-
tetta del cardinale?
L'ufficiale si spostò e sulla soglia apparve il
vero carceriere: Lord Winter, il cognato di
Milady! La conversazione tra i due non fu per
niente amichevole.

Milady in prigione!

– Come mai sei venuta in Inghilterra?

– Per vedere come stavi.

– Ma tu non ti sei mai curata di me! Quali
sono i tuoi piani? Forse è il cardinale che ti
ha mandato in **MISSIONE?**

– Figurati! Il cardinale non ha nulla a che
vedere con il mio viaggio!

– Bene, allora non ti dispiacerà restare in questo appartamento, come mia ospite.

A Milady DISPIACEVA, ma non poteva dirlo!

– Sii ragionevole. Non hai nessun motivo per
tenermi PRIGIONIERA!

– Per caso, c'entra qualcosa il duca di
Buckingham? Si dice in giro che tu voglia
VENDICARTI. Quindi preferisco tenerti
vicina perché tu non combini guai e non racconti altre bugie. In passato hai già ingannato
la mia *famiglia!* Non ci avevi nemmeno

detto di avere già un marito in **FRANCIA!**
Milady impallidì. Era furiosa e stupita che il
cognato avesse scoperto la sua vita segreta!
– Sì, so tutto! So che sei stata sposata con
Athos. Ma che l'hai sposato con l'**inganno!**
Così Lord Winter, che era stato avvertito da
D'Artagnan, riuscì a imprigionare Milady e a
fare in modo che non portasse a termine la
sua **MISSIONE** contro il duca di Buckingham.

Che giustizia
sia fatta

Lord Winter avvertì D'Artagnan che Milady era stata CATTURATA. D'Artagnan e i suoi amici decisero di andare a parlare DIRETTAMENTE con lei. Questa situazione era da risolvere una volta per tutte!

Quando arrivarono al CASTELLO di Winter e furono davanti a Milady, D'Artagnan le disse: – Noi non vogliamo VENDETTA, ma giustizia! Milady, sarai giudicata in tribunale, dove tutti potranno ascoltare le tue malefatte.

Milady, tremante, li guardava con disprezzo: – Non potete fare nulla contro di me!

D'Artagnan e i suoi amici moschettieri si GUARDARONO e poi, con un cenno d'intesa, iniziarono l'elenco delle accuse.

Cominciò D'Artagnan: – Sarai processata per aver ATTENTATO alla mia vita e a quella dei miei amici moschettieri.

Poi toccò ad Athos: – Sarai processata per avermi INGANNATO ed essere divenuta mia moglie nascondendomi la tua vera identità, tradendo l'amore che provavo per te. Perché tu non lo sai, ma io ti ho davvero amata e, se tu fossi stata sincera con me, ti avrei volentieri aiutata.

– E che giustizia sia fatta! – conclusero Porthos e Aramis.

Ora Milady era spaventatissima e reagì: – Mi farò difendere dal cardinale in persona!

Che giustizia sia fatta

Ma D'Artagnan rispose: – Milady, non credo proprio che sua eminenza abbia voglia di dichiararsi amico di una ladra, bugiarda, SPIA e traditrice.

– Nessuno è mai riuscito a vincere con me, ricordatevelo!

Athos la zittì: – Nessuno che compia CATTIVE azioni può restare per sempre impunito. La tua condotta sarà giudicata secondo la legge e nessun giudice potrà ritenerti *innocente.* Se sarai fortunata, passerai il resto dei tuoi giorni nella più **BUIA** e umida delle celle della Bastiglia e lì potrai pensare alle tue malefatte.

Alla fine, i quattro, accompagnati da Lord Winter, portarono la loro prigioniera al tribunale di *Parigi.*

Finalmente giustizia era fatta.

Rochefort

ntanto l'assedio di La Rochelle **PROSEGUIVA.**

Quando tornarono sul campo di battaglia, Athos, Porthos, Aramis e D'Artagnan ebbero il compito di scortare il re che voleva rientrare a Parigi. Durante il viaggio, fecero tappa presso un villaggio.

Mentre il re passeggiava, i nostri quattro amici si fermarono in una LOCANDA sulla strada maestra.

Si erano appena accomodati attorno a un tavolo, quando la porta si spalancò di colpo

ed entrò un uomo, che urlò: – Signor
D'Artagnan! Finalmente vi ho trovato!
Il giovane non poteva credere ai propri
 OCCHI: era lo sconosciuto di
Meung! Ancora LUI!
Ma questa volta non SCAPPÒ via.
Anzi! Fu lui stesso ad andare verso
D'Artagnan.
– Non ho nessuna intenzione di scappare,
caro signore! In realtà sono qui in missione,
per conto di sua eccellenza il cardinale!
Athos, Porthos e Aramis guardarono
D'Artagnan: che cosa aveva ESCOGITATO
questa volta il cardinale?!
Lo sconosciuto continuò: – Ho l'ordine di
dichiararvi in arresto. Consegnatemi le vostre
armi e seguitemi senza fare resistenza.
D'Artagnan, che ancora non sapeva il nome

del suo avversario, chiese:
– Ditemi almeno come vi
chiamate. È da mesi che il
vostro volto mi perseguita!
– Sono il cavaliere di
Rochefort e sono lo scudie-
ro del cardinale Richelieu.
Ho il compito di **CONDURVI**
da lui.

A questo punto, Athos si alzò
in piedi: – Scorteremo noi il nostro
amico! Non permetteremo che sia trattato
come un **PRIGIONIERO**. Siamo moschettieri, uomini d'onore. Quindi non dovete
temere che D'Artagnan possa scappare!
Rochefort stava per ribattere, ma vide che
Porthos e Aramis erano già pronti a combattere. Capì che era del tutto solo davanti a

quei quattro uomini... Così rispose: – Signori,
se D'Artagnan mi dà la sua parola, allora
accetto che siate voi a scortare il vostro
amico fino al palazzo di sua eminenza.
D'Artagnan gli porse la sua SPADA:
– Signore, vi do la mia parola. E questa è la
mia spada. Ora ANDIAMO dal cardinale.

Questa
è vera amicizia!

 osì, D'Artagnan fu condotto dai suoi amici al palazzo del cardinale Richelieu.

Cavalcarono per tutto il giorno e arrivarono a destinazione.

D'Artagnan fu prelevato da due sentinelle che lo **SCORTARONO** verso la scala, alla fine della quale si trovava la porta dello studio di sua *eccellenza*.

Prima che D'Artagnan **SCOMPARISSE** dalla vista dei suoi amici, Athos gli disse:

– Noi tre ti aspettiamo qui, amico mio! Non

Questa è vera amicizia!

temere! Ricorda: *uno per tutti, tutti per uno*!
D'Artagnan gli SORRISE, facendo un
cenno con la mano, come ringraziamento.
A quel punto, i tre moschettieri si
GUARDARONO in faccia ed ebbero tutti lo
stesso pensiero. Corsero verso il loro amico e
andarono ad   abbracciarlo.

– Fatti forza, D'Artagnan! Noi saremo sempre
con te! – esclamò Aramis.
– Certo! L'ho sempre detto che, tra tutti, sei il
più intelligente! Non può capitarti nulla! –
disse Athos, dandogli una pacca sulla spalla.
– Ben detto, Athos! – aggiunse Porthos.
D'Artagnan era commosso da tanto affetto.
Abbracciò i suoi compagni di ventura e, per
un attimo, dimenticò che il cardinale lo stava
aspettando.

– Grazie amici. Con voi ho scoperto che cosa
sia la vera amicizia. Ma ormai, per me, siete
molto più che amici. Siete fratelli! Orsù, dunque, adesso è ora che vada incontro al mio
DESTINO.

Poi salì le scale, si avvicinò alla porta
dello studio del cardinale e BUSSÒ.

Secondo colloquio col cardinale

Si sentì una voce provenire dall'interno dello studio.

– Entrate!

D'Artagnan aprì la porta e si trovò di fronte al cardinale, seduto alla sua scrivania.

Aveva le mani incrociate davanti a sé e lo squadrava con due occhi GLACIALI.

Ma D'Artagnan non si fece intimidire e richiuse la porta dietro di sé. Una sentinella cominciò subito a passeggiarvi davanti.

D'Artagnan pensò che quello era il suo secondo COLLOQUIO con il cardinale Richelieu,

ma temette anche che fosse l'*ultimo*. Le cose
si mettevano MALE per lui...
Richelieu lo squadrò a lungo e poi cominciò a
parlare: – Signore, vi ho fatto arrestare per
mio ordine. Lo sapete?
– Sì, me l'hanno detto. Ma non so ancora perché, eminenza.
Il cardinale fulminò D'Artagnan con lo sguardo e disse in tono MINACCIOSO: – Non sapete perché?! Vi si accusa di aver tradito la
Francia! Vi si accusa di essere una spia al servizio degli inglesi! Vi si accusa di aver vendu-
to importanti segreti dello Stato! Quindi io vi
farò CONDANNARE!
D'Artagnan rimase senza parole.
Che cosa avrebbe potuto fare per difendersi?
Perché questa volta non ci sarebbero stati
sconti. Questa volta la sua INTELLIGENZA

non avrebbe trovato soluzioni dell'ultima ora.
Questa volta non ci sarebbe stato Tréville a
salvarlo.

D'Artagnan era davvero nei PASTICCI!

Colpo
di scena!

D'Artagnan stava cercando di pensare **VELOCEMENTE** a qualche soluzione che potesse salvarlo.

CHE COSA POTEVA FARE?

CHE IDEA POTEVA AVERE?

Possibile che non ci fosse una soluzione?
Mentre D'Artagnan pensava, iniziò a frugarsi nervosamente in tasca, come se potesse trovare lì la soluzione ai suoi problemi.
Ma proprio mentre infilava la mano in una delle tasche, toccò qualcosa che gli fece

Colpo di scena!

CAMBIARE completamente espressione.
La lettera!

D'Artagnan aveva con sé la *lettera* scritta dallo stesso cardinale, che Athos aveva rubato a Milady! Così sfilò quel *prezioso* oggetto dalla sua tasca e lo porse al cardinale.

Richelieu, **SCURO** in volto, non capì: – Che cosa vuol dire? Per quale motivo mi porgete questa lettera?

D'Artagnan rispose: – Perché *questa lettera*

rappresenta la mia salvezza, eminenza. E la cosa singolare è che me la offriate voi stesso!

Il cardinale continuava a non capire.

– Ma che cosa state dicendo? Siete forse *impazzito?* Non so nemmeno di che cosa stiate parlando!

Colpo di scena!

D'Artagnan SORRISE: – Oh sì, eminenza.
Presto ricorderete. Prego, prendete la lettera e
leggete anche voi.
Il cardinale ricevette la *lettera* dalle mani di
D'Artagnan, che continuò: – Sua eminenza
riconoscerà certamente la propria scrittura...
Il cardinale aprì la lettera e lesse *lentamente* a
voce alta le parole che lui stesso aveva scritto:

*Chi possiede questa lettera è giustificato
per ogni azione che abbia compiuto,
perché ha agito su mio ordine e
per il bene della Francia!
3 dicembre 1627*

RICHELIEU

A quel punto, il cardinale abbassò lo
SGUARDO, mise la testa fra le mani e rimase
a lungo in silenzio.

Trascorse parecchio tempo prima che Richelieu guardasse di nuovo negli occhi il suo avversario. Un avversario che era stato tanto furbo da usare la stessa lettera che lui aveva scritto per Milady!

Quando finalmente alzò il capo, il cardinale guardò per la prima volta D'Artagnan con occhi diversi, quasi di *rispetto*. E vide questo ragazzo di appena vent'anni, che aveva già dimostrato di possedere un **CORAGGIO** e un'intelligenza fuori dal comune.

Pensò al **FUTURO** che D'Artagnan poteva avere davanti a sé. Specie se fosse stato ben guidato da qualcuno...

Così, sempre in silenzio, Richelieu prese un foglio dove scrisse qualcosa. Poi lo consegnò a D'Artagnan.

– Tenete, signore. E ora, tocca a voi leggere!

Colpo di scena!

D'Artagnan pensò che molto probabilmente vi fosse scritta la **punizione** che doveva scontare. Invece...

Io nomino il signor D'Artagnan luogotenente dei moschettieri a partire da oggi stesso.

RICHELIEU

D'Artagnan non poteva credere ai propri OCCHI. E cadde ai piedi del cardinale.
– Monsignore, vi ringrazio con tutto il cuore.
D'ora in poi consideratemi al vostro servizio.
Richelieu batté familiarmente la spalla di D'Artagnan: – Siete un BRAVO giovane!
Poi si voltò e chiamò ad ALTA voce: – Cavaliere Rochefort!
Il cavaliere entrò subito.

Colpo di scena!

– Rochefort, vedete qui il signor D'Artagnan?
Ebbene, da oggi è uno dei miei amici.
Abbracciatevi, dunque, e fate pace!
Rochefort e D'Artagnan si _abbracciarono,_
anche se non troppo calorosamente...
Dopo aver riavuto la sua spada,
D'Artagnan **CORSE** fuori dai
suoi compagni moschettieri.
– Eccomi, amici miei!
Porthos urlò: – Era ora! Cominciavamo a
spazientirci!
Athos guardò D'Artagnan e chiese: – Ma che
cosa è successo, in tutto questo tempo, nello
studio del cardinale?
D'Artagnan guardò Athos e SORRISE:
– Ora vi racconto...

Tutto
è bene...

D'Artagnan spiegò ai suoi amici che non solo era *libero*, ma che era stato pure nominato luogotenente dei moschettieri! Athos, Porthos e Aramis gli si strinsero attorno e lo abbracciarono *felici*.

– Bravissimo, D'Artagnan! Te lo sei proprio meritato! – esclamò Athos.

– Puoi dirlo forte! D'Artagnan è il più CORAGGIOSO di noi tutti! – aggiunse Aramis.

– L'ho sempre detto che eri intelligente! –
disse Porthos, sorridendo all'amico.

D'Artagnan era quasi **IMBARAZZATO** da tutti
quei complimenti.

Ma ora bisognava *AFFRETTARSI!*

I quattro amici dovevano

prepararsi alla cerimonia di investitura di D'Artagnan!

Moschettiere!

Il giorno dopo, i quattro moschettieri (perché ora erano diventati *quattro*!) andarono dal capitano Tréville per la cerimonia di INVESTITURA.

D'Artagnan era **emozionatissimo**. Ma anche i suoi compagni non erano da meno.

Salirono fino allo studio di Tréville, che li accolse con un SORRISO.

Il capitano consegnò la nuova divisa da moschettiere a D'Artagnan, che la prese e la indossò con rispetto. Tréville sorrise al nuovo luogotenente dei moschettieri.

Moschettiere!

– Ecco, D'Artagnan, il tuo SOGNO si è realizzato. In poco tempo sei diventato anche tu un moschettiere: è un'impresa che capita raramente. Questo vuol dire che sei davvero CORAGGIOSO e leale!

D'Artagnan era senza parole per l'emozione.

Tréville continuò: – I tuoi genitori saranno molto ORGOGLIOSI di te. Proprio ieri ho scritto una *lettera* a tuo padre, per raccontargli tutto quello che è successo negli ultimi mesi e del valore che hai dimostrato di avere. Bravo D'Artagnan!

A quel punto, Athos, Porthos e Aramis iniziarono ad APPLAUDIRE.

D'Artagnan era commosso. Non poteva credere che il suo sogno si fosse davvero realizzato... Quante avventure aveva vissuto con i suoi compagni! Quante peripezie!

Ma quando si è *uno per tutti, tutti per uno*, è più facile sentirsi uniti, anche nei momenti di SCONFORTO.

D'Artagnan si asciugò una lacrima. E vide che anche i suoi amici erano commossi.

Così, tutti e quattro uscirono dallo studio di Tréville.

Nel cortile furono accolti da una folla di moschettieri che li attendeva.

Tutti applaudirono e salutarono quei quattro valorosi che erano diventati un esempio di quanto potessero essere **FORTI** e coraggiosi i moschettieri alla corte del re di Francia!

VIVA D'ARTAGNAN! VIVA I MOSCHETTIERI!

1 Bastiglia

2 Palazzo del Luxembourg

3 Casa Bonacieux

4 Casa del capitano Tréville

5 Casa di Aramis

6 Senna

7 Palazzo del Louvre

8 Palazzo di Richelieu

Alexandre Dumas

Alexandre Dumas nacque in Francia nel 1802.

La sua nonna paterna era originaria di Haiti e suo padre fu uno dei generali di Napoleone. Siccome, però, osò ribellarsi al comandante, fu cacciato dall'esercito e ridotto in povertà.

Alexandre, dunque, visse un'infanzia di miseria e non poté frequentare regolarmente la scuola, anche se amava scrivere e leggere libri.

Continuò però a coltivare questa passione e, poiché aveva una grafia molto bella, trovò lavoro alla corte del re come scrivano. Nel tempo libero iniziò a scrivere commedie e romanzi, che da subito ebbero un grandissimo successo.

Dumas divenne famoso e ricco, tanto che si fece costruire un castello e pure un teatro per mettere in scena i suoi romanzi.

Le sue storie avventurose e i suoi personaggi erano così interessanti che alla fine diventarono famosi: erano conosciuti anche da chi non aveva la possibilità di leggere i suoi libri.

La sua opera più famosa fu *I Tre Moschettieri*, che ebbe un seguito nel libro *Vent'anni dopo* e ne *Il visconte di Bragelonne*. Un altro libro molto famoso fu *Il Conte di Montecristo*, che all'inizio fu pubblicato a puntate su un giornale: i lettori aspettavano impazienti l'uscita della puntata successiva!

Il figlio di Dumas, che si chiamava anche lui Alexandre, divenne a sua volta un famoso scrittore. Dumas morì nel 1870.

Indice

Geronimo Stilton

- Quinto Viaggio nel Regno della Fantasia
- Sesto Viaggio nel Regno della Fantasia
- Viaggio nel Tempo
- Viaggio nel Tempo - 2
- Viaggio nel Tempo - 3
- Il Segreto del Coraggio
- La Grande Invasione di Topazia
- Le avventure di Ulisse
- Il principe di Atlantide

LIBRI SPECIALI

È Natale, Stilton!
Halloween... che fifa felina!
Viaggiare... che passione!
Inseguimento a New York
Mondo Roditore
Mondo Roditore - Giochi & Feste
Più che amiche... sorelle!
Caccia al Libro d'Oro
C'è un pirata in Internet

SEGRETI & SEGRETI

1. La vera storia di Geronimo Stilton
2. La vera storia della Famiglia Stilton
3. I segreti di Topazia
4. Vita segreta di Tea Stilton

GRANDI STORIE

- L'isola del tesoro
- Il giro del mondo in 80 giorni
- La spada nella roccia

- Piccole donne
- Il richiamo della foresta
- Robin Hood
- I tre moschettieri
- Il libro della giungla
- Heidi
- Ventimila leghe sotto i mari
- Peter Pan
- Piccole donne crescono
- Le avventure di Tom Sawyer
- Alice nel Paese delle Meraviglie

Cinque minuti prima di dormire
Buonanotte Topini!
Le grandi fiabe classiche
Le grandi fiabe classiche 2

AVVENTURE NEL TEMPO

- Alla scoperta dell'America
- Il segreto della Sfinge
- La truffa del Colosseo
- Sulle tracce di Marco Polo
- La grande Era Glaciale
- Chi ha rubato La Gioconda?
- Dinosauri in azione!

SUPEREROI

1. I difensori di Muskrat City
2. L'invasione dei mostri giganti
3. L'assalto dei grillitalpa
4. Supersquitt contro i terribili tre
5. La trappola dei super dinosauri
6. Il giallo del costume giallo
7. Gli abominevoli ratti delle nevi
8. Allarme, puzzoni in azione!
9. Supersquitt e la pietra lunare

EDUCATIONAL

- Dinosauri
- Il mio primo dizionario di Inglese (con CD)
- Il mio primo dizionario di Inglese tascabile
- Il mio primo dizionario di Italiano
- Parlo subito Inglese
- Il mio primo Atlante

BARZELLETTE

1000 Barzellette vincenti
1000 Barzellette irresistibili
1000 Barzellette stratopiche
Il Barzellettone
Barzellette Super-Top Compilation 1
Barzellette Super-Top Compilation 2
Barzellette Super-Top Compilation 3
Barzellette Super-Top Compilation 4
Barzellette Super-Top Compilation 5
Barzellette Super-Top Compilation 6

Tea Stilton

TEA SISTERS

1. Il codice del drago
2. La montagna parlante
3. La città segreta
4. Mistero a Parigi
5. Il vascello fantasma
6. Grosso guaio a New York
7. Il tesoro di Ghiaccio
8. I naufraghi delle stelle
9. Il segreto del castello scozzese
10. Il mistero della bambola nera
11. Caccia allo scarabeo blu
12. Lo smeraldo del principe indiano
13. Mistero sull'Orient Express

VITA AL COLLEGE

1. L'amore va in scena a Topford!
2. Il diario segreto di Colette
3. Tea Sisters in pericolo!
4. Sfida a ritmo di danza!
5. Il progetto super segreto
6. Cinque amiche per un musical
7. La strada del successo
8. Chi si nasconde a Topford?
9. Una misteriosa lettera d'amore
10. Un sogno sul ghiaccio per Colette

Geronimo Stilton

Scopri le avventure
di Geronimo Stilton
su iPad e iPhone!